Bernard Leach

日本民藝館所蔵　バーナード・リーチ作品集

〔監修〕
水尾比呂志
〔撮影〕
杉野孝典

カバー写真　表　楽焼駆兎文皿　（図版一〇）
　　　　　　裏　ガレナ釉山水文皿　（図版七七）
表紙写真　　鉄砂抜絵組合陶板衝立　虎　（図版六四）
表紙、カバー欧文活字　グレゴリオ聖歌楽譜（一七世紀）より作成

St Lukes, Chelsea 1907
Bernard Leach
3rd Proof

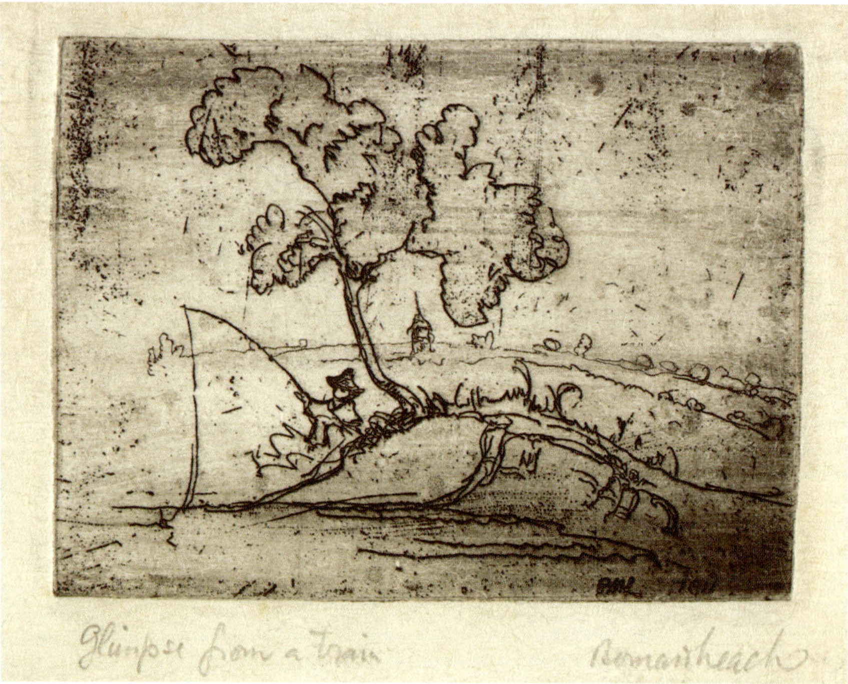
Glimpse from a train
Bernard Leach

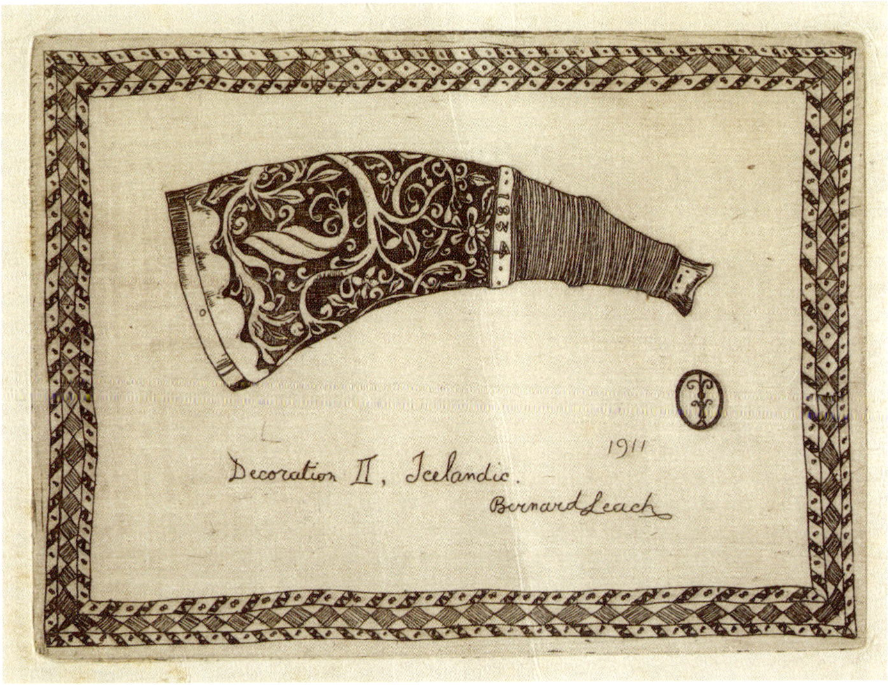
1911
Decoration II, Icelandic.
Bernard Leach

1914.

D.H.L.1918

Ogata Kenzan
1914

Hakone Lake-side. Japan 1913.
Bernard Leach
To my friend Yanagi.

Bernard Leach

M. Yanagi
A Sketch by
Bernard Leach

我孫子

1919
1919
Hatsu
Kama

Karuizawa
1919

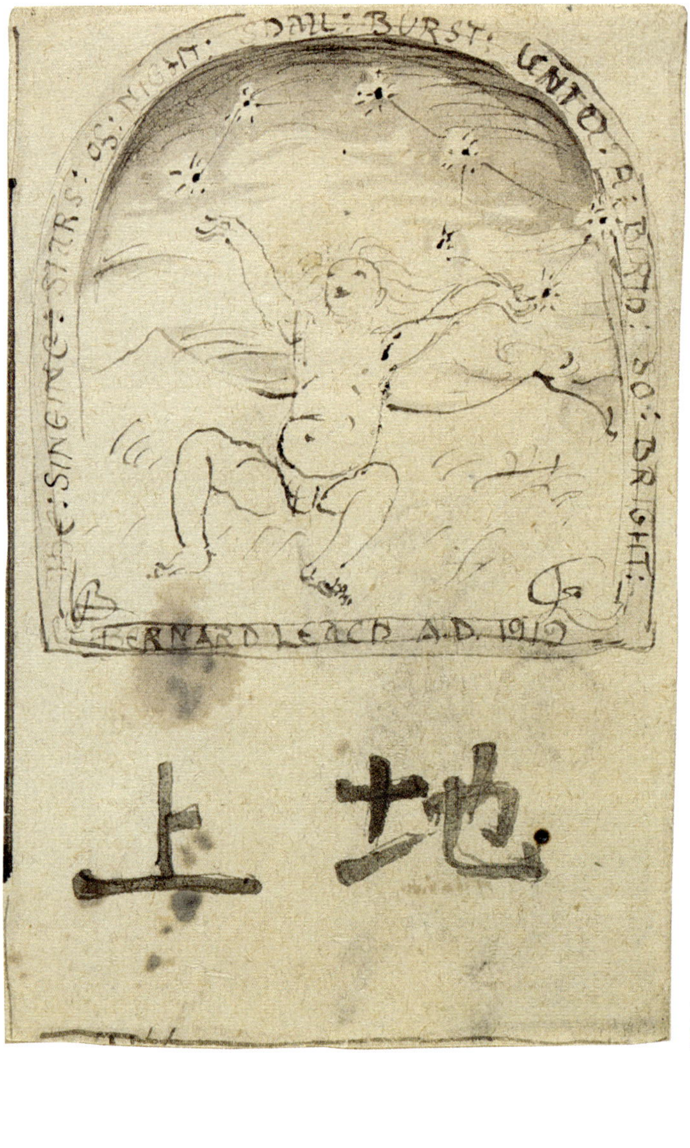
BERNARD LEACH A.D. 1919
地上

STARS OF NIGHT SHALL BURST UNTO A BIRTH THUS BRIGHT
1920

Earthenware in Rakor for Japanese fair

BL. 1917

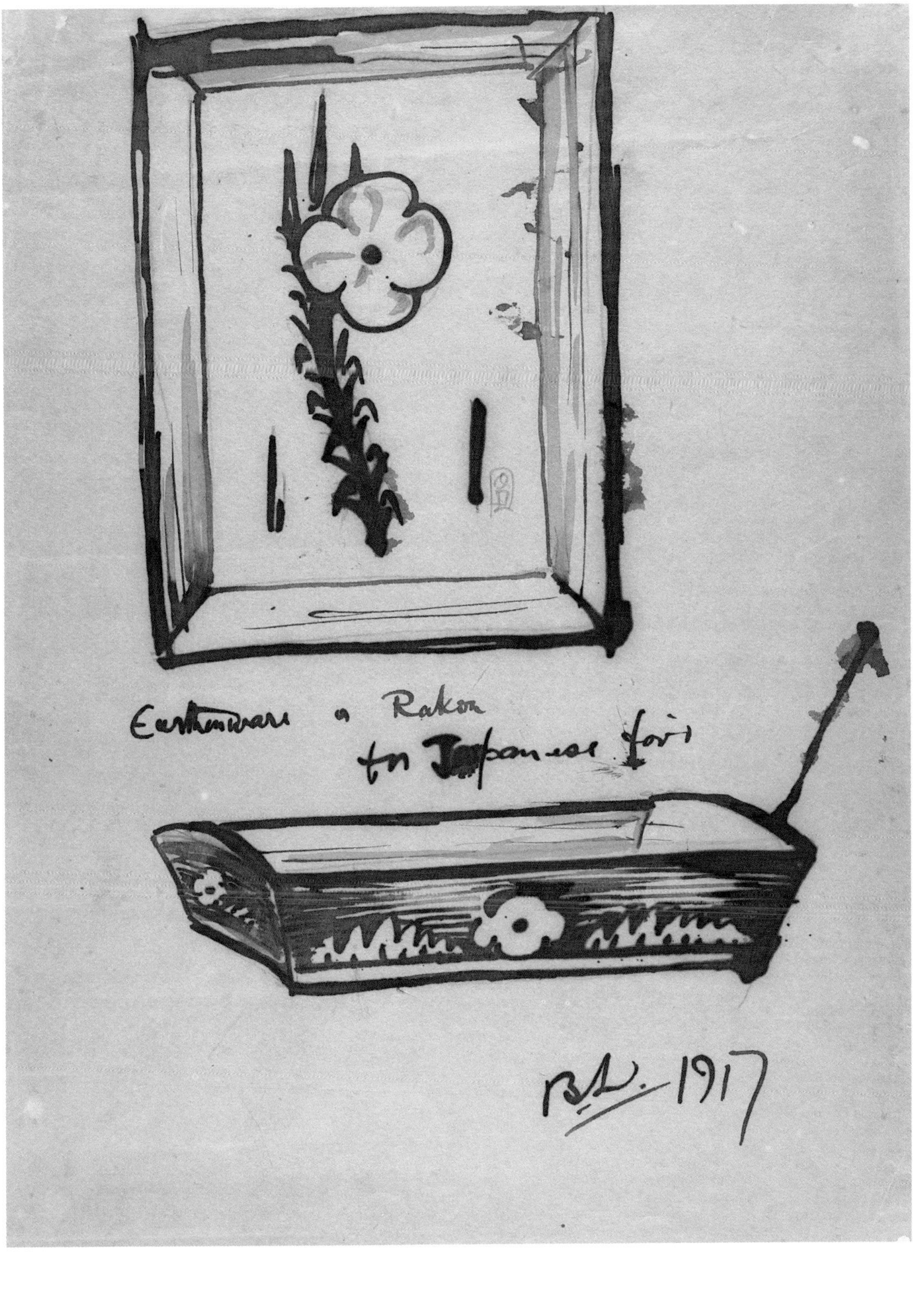

起
居

道の一つ

1918

Yanagi in his study. Abiko. 1918

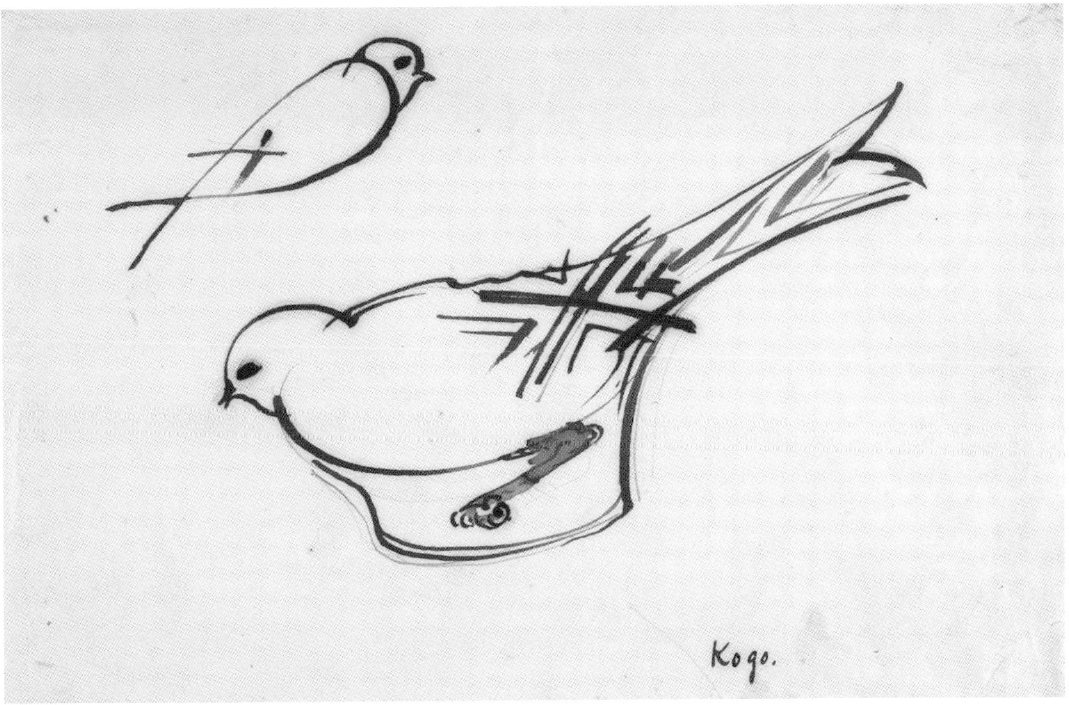
Kogo.

The End of the Summer

Designs for a cream jug & jam pot in black slipware with orange spots

三九

1934

人

1
9
'34

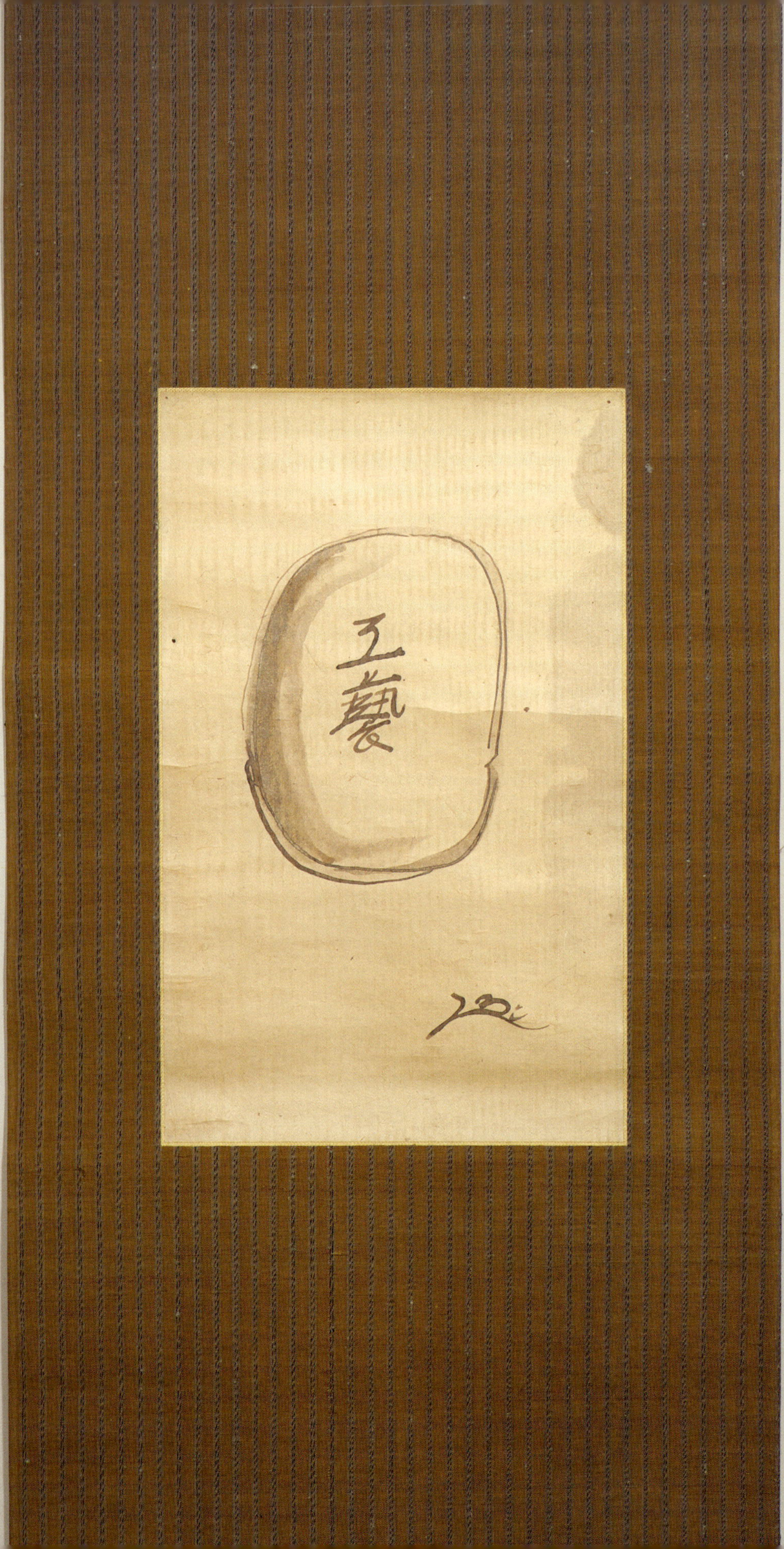
工藝

TYGER·TYGER·B RNING·BRIGHT·
·IN·THE·FORES S·OF·THE·NIGHT·

A

Colorado

N. Mexico

Colorado

Santa Fé

N. Mexico

Montana 1952

'53

53

Mashiko Matsuri '53

Packing Hamada's small kiln with biscuit 10·VII·53 '53

1954

Yamasaki Shosuke
Matsumoto
1953
BL

1011

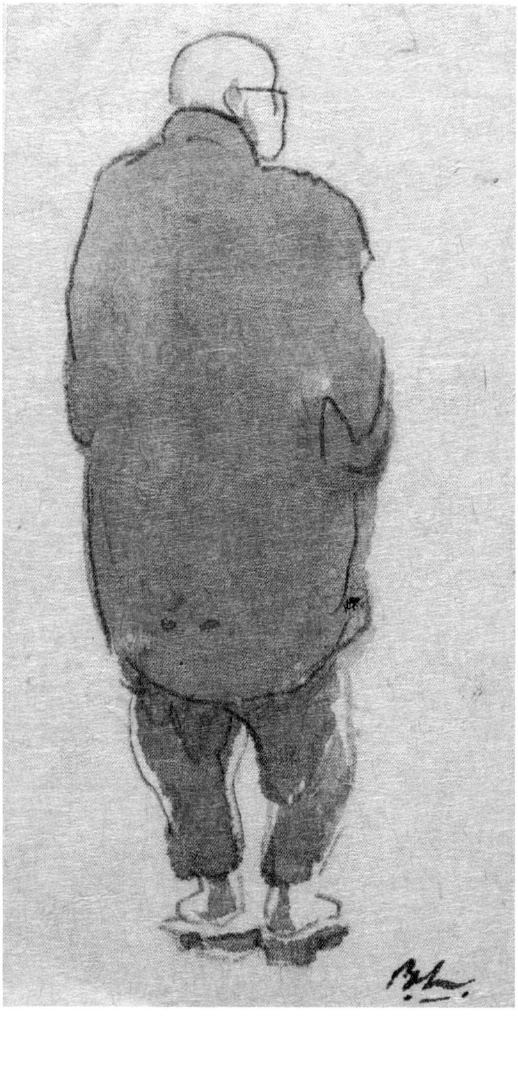

BL '53

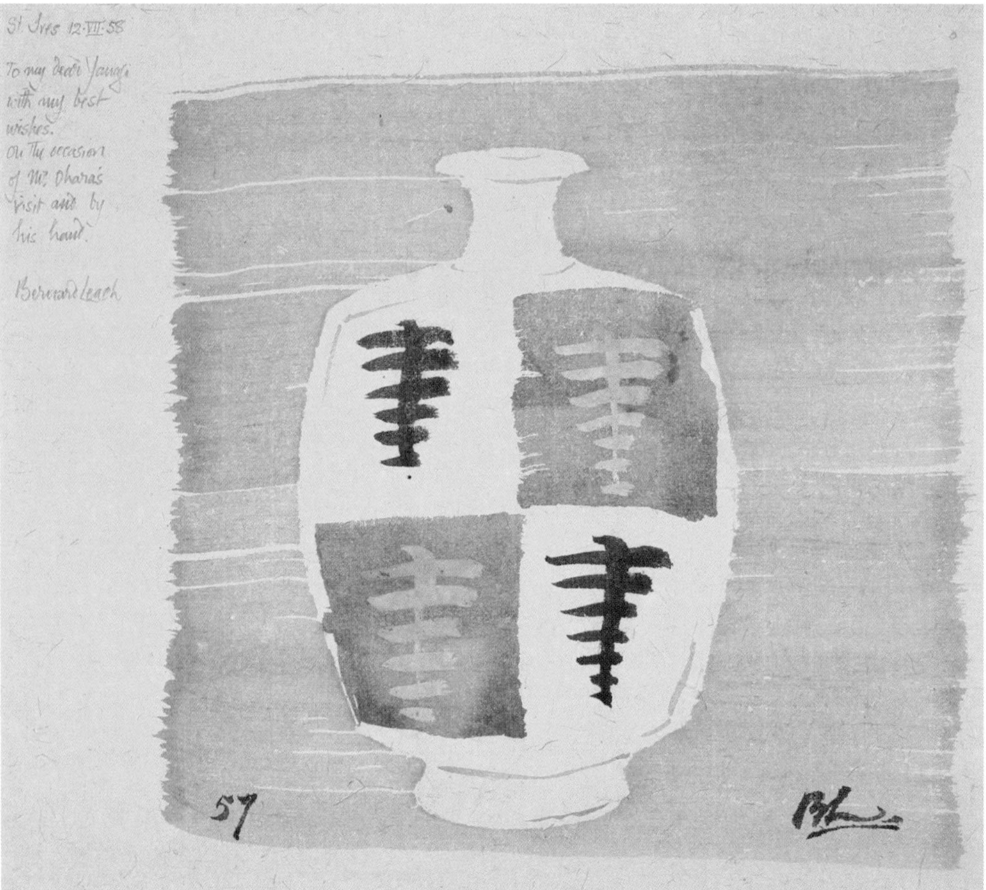
St. Ives 12·VII·58
To my dear Yanagi
with my best
wishes.
On the occasion
of Mr. Ohara's
visit and by
his hand.
Bernard Leach
57

B.L. 1964

1964

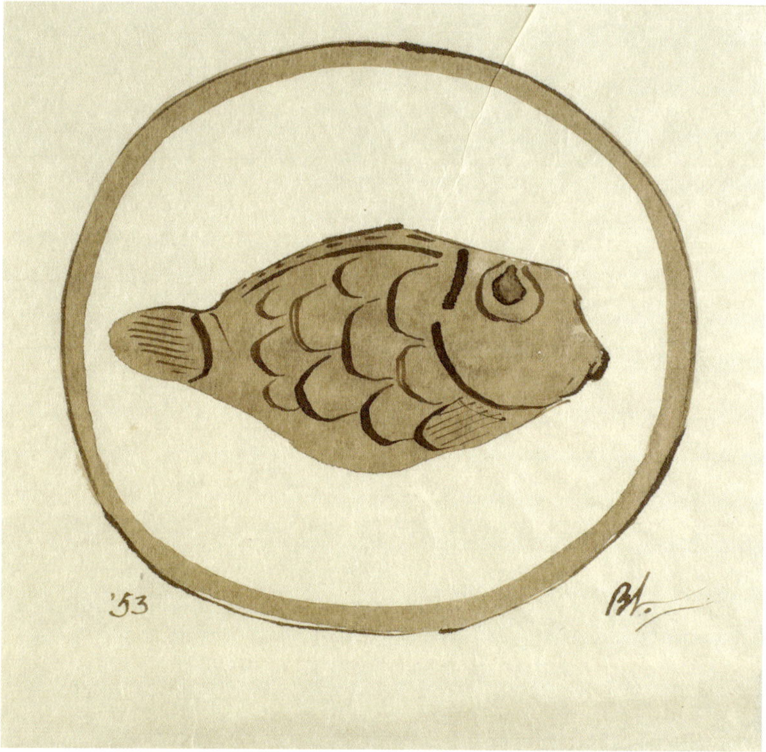
'53

Gokayama

Togakushi
shinshu

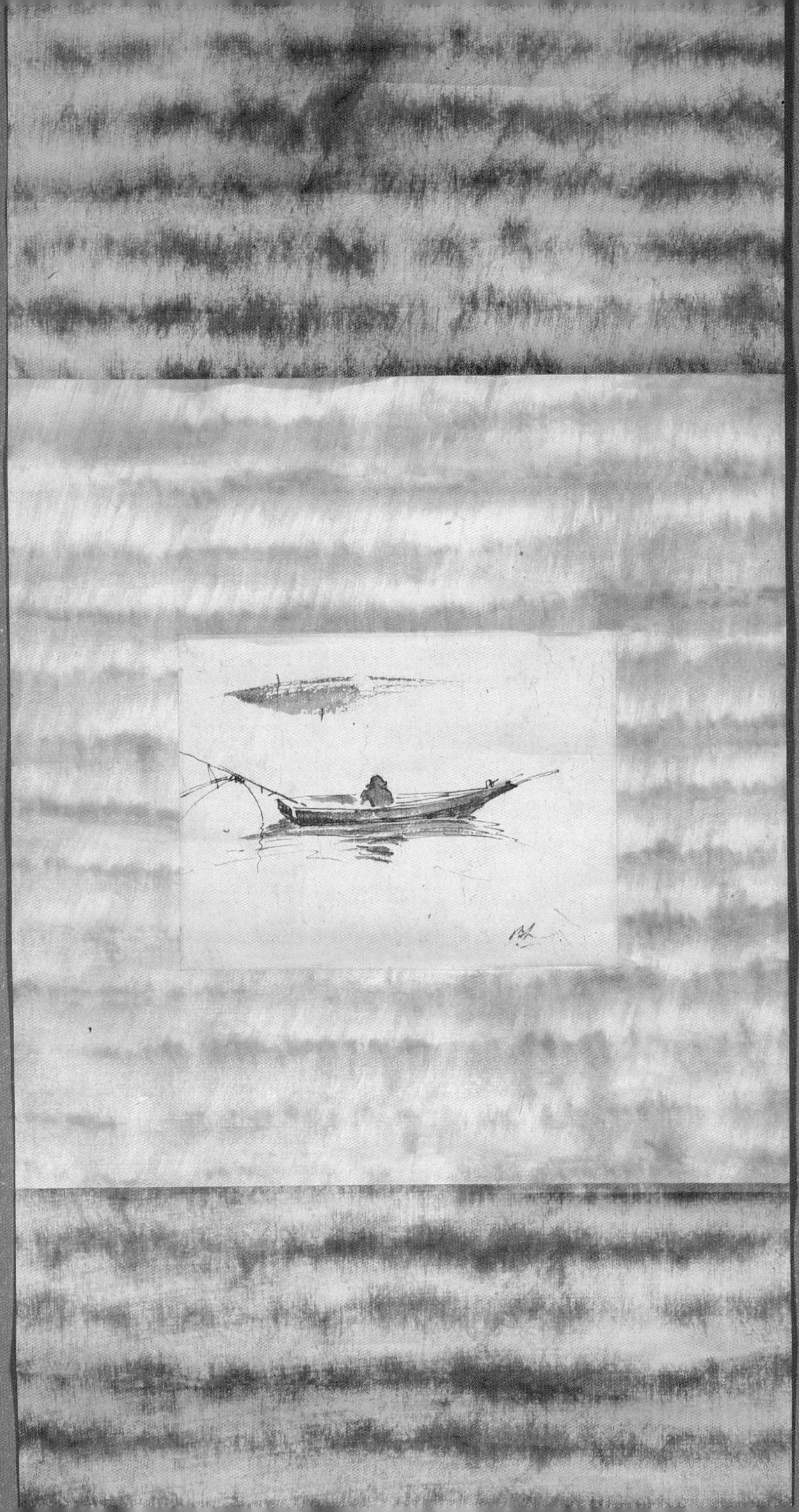

1110

53

1953

Bernard Leach

日本民藝館所蔵　バーナード・リーチ作品集

凡例

一、本書は日本民藝館が所蔵するバーナード・リーチの作品集である。

一、図版作品は前期（一九〇七―一九二〇年）・中期（一九二〇―一九四五年）・後期（一九四六―一九七三年）に分け、掲載することを基本とした。

一、収録した柳宗悦の論考は『柳宗悦全集』第十四巻（筑摩書房、一九八七年）を底本とした。その際、字体は原則として新字体に、仮名遣いは現代仮名遣いに改めた。また難読の漢字には適宜ルビを付した。

一、表紙、カバー、本文図版の写真は全て杉野孝典が撮影した。

一、掲載したバーナード・リーチに関する資料写真は、日本民藝館の収蔵資料を使用した。

一、図版目録は、陶磁器などの立体作品については名称、産地、時代、寸法の順に、平面作品については名称、素材・技法、時代、寸法の順に記すことを基本とし、必要な場合は註を付した。

一、図版目録の寸法は、高さ、径または幅、奥行の順に記した。また単位は全てミリメートルとした。

一、作品撮影には青井義夫氏、稲垣陽一氏、図版目録の作成には柴田雅章氏、鈴木禎宏氏の協力を得た。

刊行によせて

この度、バーナード・リーチの作陶一〇〇年を記念して『日本民藝館所蔵　バーナード・リーチ作品集』を刊行することとなりました。

二〇世紀の英国を代表する工芸家バーナード・リーチ（一八八七〜一九七九）は、「東と西の結婚」を自らの使命として、東洋と西洋の陶技を融合させた独自の作風を開拓。多くの人々を魅了しつつ、民藝運動のリーダーの一人として、海外における民藝思想の紹介に大きな役割を果たしていきました。

また、当館の創設者である柳宗悦の盟友として、生涯にわたって創作活動や美の思索に携り、互いに多大な影響を与えあったのです。

この作品集に紹介されている、当館所蔵のバーナード・リーチの陶磁器作品や絵画作品など約一八〇点の優品は、その殆どが柳宗悦の審美眼によって選ばれたもので、いわば二人の友情の証ともいえましょう。

二〇一二年は、バーナード・リーチ生誕一二五年の記念すべき年にも当たります。豊かな叙情性と静かな温もりを宿すリーチ作品を通して、リーチが念願した東と西を超えた普遍的な美の世界を、皆さまに感受していただければ幸いです。

最後になりましたが、本作品集の出版にあたり、ご協力、ご助言を賜りました関係各位に対しまして、心より感謝申し上げます。

二〇一二年六月

日本民藝館

目次

リーチの位置

柳　宗悦

私達の今度の外遊は、殆《ほと》んど世界各国の窯藝《ようげい》の事情を比較するのに、よい機会を与えてくれた。私達は英国で開かれた「国際工藝家会議」に於《おい》て、啻《ただ》に五十人程《ほど》の陶工に会えて、多くの製品や技術を目撃したのみならず、屢々《しばしば》その思想にも接する事が出来た。加うるに南欧や北欧の各国を旅し、或《あるい》は美術館に、或は店舗に、或は工房で、数多くの作品に接することが出来た。米国に渡ってからは転々と各地に於て親しく陶器講座につらなった為《ため》、何百という陶工達に接する機会があった。そうして彼等は実に米国を代表する陶工達でもあった。九ヶ月間に於《お》ける是等《これら》の経験は、私共に色々の事実を教えてくれた。

扨《さて》、今では合せて恐らく十余万人にも近い西洋の個人陶工の中で、誰が一番優れた工藝家であったかを聞く人があるなら、私は躊躇なくリーチだと答えよう。之《これ》はリーチが私の長い間の友達だという事実による贔屓目《ひいきめ》からではなく、どう見てもそうなのである。リーチの欧米に於ける世界的名声は主としてその名著『陶工の本』に依るのであって、時には陶工としてのリーチを高く買わない人々もありはするが、併《しか》し公平に見て藝術家としての陶工では、リーチの右に出るものはないと思われる。

尤《もっと》もリーチの品は、その人間としての性質にもとづいて、非常に温和なもので、近代藝術によく見られるような強烈なものとか、異常なものとかいう性質はないから、或《ある》人達の目からは、却《かえ》って平凡なものに見られているかも知れぬ。又《また》境遇に支配されるような所もあって、周囲の事情が悪いと、静かによい仕事が出来なかった場合もあろう。又多くの陶工が熱中する釉薬《ゆうやく》の変化などを、リーチの作品に求める事は出来ぬかも知れぬ。或は又日本の茶趣味の人達が要求する味っぽい要素などからは遠いものであろう。又幾人かの陶工に見られる大した器用さが、リーチの作品には欠けている事もあろう。併しそれ等にも拘《かかわ》らず、リーチ程の陶工はめったにいないのである。又之からも容易に出るとは考えられぬ。

前述の「国際工藝家会議」には、世界の二十ヶ国から凡《およ》そ百三、四十人の人達が集って、十日間に亘《わた》り工藝の諸問題を討議したが、もともとこの会議を主導したのはリーチで、啻に陶工としてのみならず、工藝家として大きな波紋を投げているのであって、ウィリアム・モリス以後、その真精神を受け継ぎ、更に深くこの運動を発展せしめているのはリーチだと云《い》ってよい。

リーチの工房では、協同作業が行われていて、工藝の道が本来個人の仕事に止《とど》まるべきではなく、多くの者の協力的仕事の上に立つべきだという信念の実験なのである。充分にその成果を挙げるには、まだ時を要するであろうが、併し工藝運動のあり方に就《つ》いて、一つの正しい見解だと云わねばならない。工藝は只《ただ》技術の問題ではなく、更に精神の問題だということを示そうとしている。

では何がリーチを今日あらしめたのか。もともとその発足に於て、幸《さいわい》にも東洋に住み、東洋の美しい点を身を以《もっ》て受けるだけの性質があったからによろう。尤も日本好きの人は外国人に沢山出るが、それは異国的な情緒などを玩《もてあそ》ぶ類が多く、深く又厚く東洋の心を受取った者とは云えぬ。リーチが東洋に住み、親しく日本の新しい藝術の動きに接した時が、僅《わず》か二十一歳という若さであった事も、運命的によかったとも云えよう。なぜなら、純心にものを受取り、それを生長の糧《かて》にする時期を得ていたからである。誰も知る通り、リーチは日本で始めて窯藝を学び、その道に入った人である。六世乾山《けんざん》が先生であった。

東洋、即《すなわ》ち陶藝の王土ともいう可《べ》きこの東洋で焼物の道を勉強したということは、リーチにとっては大した意味があろう。なぜなら今日の世界の陶工の凡《すべ》てが、東洋陶磁への勉強をおいて、真の勉強はないと考えるに至っているからである。多くの面で、西洋は東洋程の発達を歴史に持たぬ。尤も西洋は西洋なりに幾多の素晴らしい作品を持っているが、技術的に東洋の方が遥かに早く又深く広く、その道を開拓してきた事は誰も知る通りである。

リーチは屢々その作品が余りにも東洋的だと云って非難されて来たのである。そうして西洋の多くの陶工達は、東洋から意識的に脱却して自由になろうと努めている。一寸《ちょっと》考えると理の通った進み方とも思われるが、併し東洋に反抗しようと云うのも、囚われた不自由な立場である。リーチの様に、素直に受取るべきものは受取る方が、却って結果としては自由な立場にいるとも云えよう。リーチの作品に素直な美しさのあるのは、リーチの大きな勝味だと思われてならぬ。それに西洋中世紀の陶器に対するリーチの尊敬は並々ではなく、決して無批判的に東洋にばかり心酔しているのとは違う。リーチは全く英国風のスリップ・エアーに於て、大《おお》いにその才能を発揮しているのである。

大体リーチが西洋第一の陶工たる貫禄を持っているのは二つの根本的な資格によると云ってよい。第一は、美しさを見る眼が慥《たし》かなことである。むずかしく云えば直観力のきわだった持主である。何よりも「見る人」なのである。藝術家と云えば誰もこんな要素は持合せていると思われるかもしれぬが、悲しい哉《かな》そうではない。陶工で真に美を見る眼を持った人は非常に少いのが実情なのである。この眼の鋭さ慥かさがないばかりに、多くの工藝家達は、あたら技術を無益にし、素材を無駄にしているのである。リーチはこの点で誰よりも優れた陶工としての資格を持っていると云ってよい。私は長らく彼とつき合って、この力の閃《ひらめ》きを幾度となく目撃しているのである。彼にはたとえ技術的に拙いものや未熟なものがあっても、醜い品のないのはそのためだと云ってよい。器用さや技巧のうまさでは、もっと勝《まさ》った人が他にいようが、併しそれ等の作品に醜さがまつわるのは、見る眼を持たないところから来る悲劇なのである。

更にリーチの第二の顕著な資格は、絵が描けるという事である。もともと画家を志した経歴もあって、その道の修行もうしろに控えてはいるが、やはり持って生れた天性なのである。一番多いのは素描だが、実に美しいものを沢山残している。一般に云って今日の工藝品の一番の弱味は、染織にしろ漆器にしろ、陶器にしろ、上に描く絵が、昔に比べて数段もその格が落ちて了《しま》った事である。例えば現在の伊万里などを見ると、昔のに比べてその絵附《えつけ》には全く活きた生命が見られない。たとえ描く技術は上手でも、醜い絵を巧みに描くという致命的な矛盾を示しているに過ぎない。西洋でも現在の個人的陶器を通覧してみると、絵附が一番貧相なのである。こういう哀《あわ》れな事態の間に、一人リーチを持っている事は何としても有難い事だと云わねばなるまい。現状ではリーチは美しい絵附の力量を持った殆んど唯一の西洋陶工だと云ってよい。

今日の事情を見ると殆んど大部分の陶工は無地ものか又は簡単な絵附を試みているに過ぎない。本当によい無地ものを得る事も大した力量を要するが、併し一方から見るとよい絵附が出来ないための逃避的な仕事だとも思われる。現代に一番欠けている美しい絵附を、背負ってくれる陶工がどこかに現れて然《しか》るべきである。西洋ではリーチが一人、之を担っている感がある。

陶器にも磁器にも色々よい品があるが、一番見応えのするのは、やはりスリップ・エアーやタイルである。リーチの是等の作品は、中世時代の陶工の後裔たるを瀆《けが》さぬものであって、後代必ずや名品として仰がれるものがあろう。それにリーチの絵附は、何かいつも詩があって、自らを露《あら》わに出すというより、見る者をひそかに誘う趣きがある。言葉を換えれば、見る人を詩の人にする。こういう力こそ、「絵の絵」が持つ性徳だと云えないであろうか。

1952年7月　国際工藝家会議での柳、リーチ、濱田庄司　英国・ダーティントンにて

併し英国でも、陶画家としてのリーチの値打ちは充分に認められているとは云えぬ。リーチの素描の多くが日本人の所有になっている事実は、陶画家としてのリーチが理解者を日本人の間にもっと余計に持っている事を語ろう。日本にも幾人か優れた陶工はいるが、リーチほどに絵の描ける者は殆んどいない。この意味で、リーチの作品はもっと高く買われてよい。世界の宝だとも云えるのである。

大体リーチの作品は、優しい温和なものが多い。力んだものや、えばったものや、強さ荒さを表に出したものはない。華々しいものではないから、或ものは見栄《みば》えがしないかもしれぬが、併し美しさを素直に現わすという資格は、大した資格だと思われてならぬ。特に変態な異様なものを現代美術と考える傾きのある今日、リーチのような素直な温和な親しみのある作品の価値は極めて大きい。

リーチのものの見方が非常に公平であるのも、やはりものを素直に受取って見るその徳から来るのだと思う。今の作家に一番欠けるものは謙譲の徳だがリーチは自然にそういう徳を備えているところがある。リーチは宗教に深い関心があって、誠実なバハイ徒であるのも、何か自然な所がある。

併しバハイに関心を持っているもう一つの理由は、東西両洋の連結という彼の一生の理念が、バハイの思想に最もよく現れているからにもよろう。リーチは全く東西両洋の橋渡しの為に、その製作や心情や思想を凡《すべ》て捧げてきたと云ってもよい。今度日本に来てくれたのも、この仕事を一層深めるためとも云える。又私達からしても、東西両洋の美しさの対比や共通の面をよく知りぬいているリーチから、色々の助言を得たいと思っている。もとより制作を通して、リーチを更に親しく現わして貰うことは、吾々の希《ねが》いなのである。きっとこん度の滞在中見事な作品を作ることと思う。よい周囲を要するリーチの性質にとって、日本の環境が、自由な製作に適したものである事を私は疑わない。日本に於けるリーチは実によい多くの友達に恵まれているのである。

一九五三年二月二八日

バーナード・リーチの人と作品　柳宗悦との関わりをめぐって

鈴木禎宏

「僕たちは一歩ずつ歩き続けなければならない。僕たちがまだ小さいことは分かっている。けれども、僕たちが向かう巡礼の道が正しく、正当であることだけは信じよう。」（柳宗悦、バーナード・リーチ宛書簡、一九一四年九月十一日）

バーナード・リーチ Bernard H. Leach（一八八七〜一九七九）は二十世紀イギリスの芸術家である。リーチと日本の関わりは深く、特に雑誌『白樺』同人とは生涯を通して交友があった。彼の作品は世界各地の美術館に収蔵されているが、その中でも日本民藝館のコレクションは重要なものである。「民藝」の提唱者で初代館長の柳宗悦《やなぎむねよし》（一八八九〜一九六一）はリーチの活動に深く関わり、リーチは柳邸に滞在して制作を行ったり、日本民藝館を訪れたりしていた。同館はリーチの初期から晩年までの作品を所蔵しており、その数は陶磁器が百十八点、平面作品が九十一点である。リーチ及び民藝運動の第一世代は、産業革命と資本主義の発展という、世界規模の社会と価値観の変化の中で、「美」という観点から生活の質を考えた。彼らの活動は生活造形の生産・消費に関わる点で工芸運動であったが、それはまた「手」が体現する価値観に注目することで現代文明と文化のあり方を批判するという、思想運動でもあった。本年（二〇一二／平成二十四年）はリーチの生誕から百二十五年、没後三十三年にあたる。以下、日本民藝館所蔵のリーチ作品と関連書簡を参照しながら、リーチの生涯と活動を紹介する。

I　誕生から日本再来日まで　一八八七〜一九〇九年

バーナード・リーチは出生時からいくつもの家庭、国、地域を経て成長し、絵を描くことを通して学び、考え、そして表現する才能を開花させていった。彼は一八八七（明治二十）年一月五日に香港で生まれた。誕生と同時に母親が死去したため、母方の祖父母ハミルトン・シャープ夫妻に引き取られた。ハミルトンは同志社で英語教師を務め、バーナードは京都や彦根で育てられた。こうして彼と日本の関わりが始まった。

四歳になると法律家の父アンドルー・リーチ（一八五二〜一九〇四）の再婚に伴い香港に戻り、さらに父の転任によりシンガポールなど東南アジアで幼年期を過ごした。継母は実母の又従妹だった。十歳になると教育を受けるために初めてイギリス本国に向かう。ウィンザーにあったボーモント・カレッジという、イエズス会の寄宿学校に入学し、ここで六年間カトリックに基づく教育を受けた。父の資質を受け継いでクリケット、演説術に秀でる一方、幼年期から好んだ絵画も得意とし、在学中にジョン・ラスキンの著作に親しむなど、美術への志を固めていった。一九〇三年九月、父の許しを得てバーナードは十六歳という若さでスレード美術学校に入学し、画家ヘンリー・トンクス（一八六二～一九三七）の教えを受けた。ここでの学校生活は充実していた。

しかし、芸術家としての人生はすぐに中断を余儀なくされた。一九〇四年十一月に父が死去し、その遺志によりリーチは銀行員を目指すことになったのである。マンチェスターにいた実母の妹の下で約一年間試験勉強をし、おそらく一九〇六年に香港上海銀行に採用され、ロンドンのシティで働き始めた。

しかし、銀行員生活はリーチの性分に全く合わないものであった。約一年間働いた後、彼は再び芸術家を目指すことを決心する。それを後押ししたのは友人や、ウィリアム・ブレーク、ジョージ・ボロー、ラフカディオ・ハーンなどの著作であった。一九〇七年秋ロンドン美術学校に入学し、この学校でフランク・ブラングィン（一八六七～一九五六）から腐蝕銅版画《エッチング》を学んだ。また、この学校にて高村光太郎（一八八三～一九五六）と知り合った。《ゴシックの精神（セント・ルーク教会）》（図版一）はこの時期の作品である。

次第に日本や東アジアの文化に興味を抱くようになったリーチは、日本渡航の前提として、一九〇八年春にフランスとイタリアを旅行し、ルネサンス期や当時の最先端の美術に親しんだ。そしてイギリスへの帰途、パリにて高村光太郎に日本渡航の決心を伝えた。翌年に成年に達するとリーチは高村が書いた六通の紹介状を携え、三月に日本へと旅立った。

Ⅱ　日本・中国滞在　一九〇九～一九二〇年

リーチは一九〇九（明治四十二）年四月、二十二歳の時に日本渡航を果たし、一九二〇年六月に帰国するまで留まった。東アジアで過ごした青年期に、さまざまな異文化体験のもと、彼は芸術家としての立場や理想を自覚し、それを目指す方法を模索した。

日本語を話せない状態で来日したリーチだったが、友人などの助けを得て徐々に日本や東アジアの文化を、さらには欧米の同時代美術の動向をも学んでいった。特に、一九一〇年に創刊された雑誌『白樺』の同人たちとは、生涯続く友情を育んだ。古今東西の区別無く、自己の成長に役立つと思える思想や芸術作品を貪欲に吸収していく同人たちとの交友は、リーチの糧となった。また、リーチという外国人が『白樺』に寄稿したり、その表紙画を担当したりしたことは、同人たちへの刺激となった。同人の一人、柳宗悦とリーチの書簡のやりとりからは、彼らがウィリアム・ブレークなどの書籍を貸し借りし、観劇やコンサートの感想を述べ合っていた様子がうかがえる。柳の著作『ヰリアム・ブレーク』（一九一四年）にはリーチへの献辞がある。

リーチが陶芸と出会ったのは、日本滞在中である。一九一一年二月十八日、彼は友人の富本憲吉（一八八六～一九六三）、森田亀之助（一八八三～一九六六）と共にある茶会へ招待され、そこで初めて楽焼を体験した。これに魅せられたリーチは陶芸の習得を志し、淡島寒月（一八五九〜一九二六）らの紹介により六代乾山《けんざん》こと浦野繁吉（一八五一〜一九二三）に入門した。浦野は江戸時代に尾形深省（一六六三〜一七四三）が確立した乾山スタイルで作品を制作しており、リーチはその技術を浦野から学んだ。そして「七代乾山」と名乗ることを許されたが、しかし彼は師の様式には従わず、独自の造形と絵付けを試みた。《楽焼葡萄文火鉢》（図版七）と《楽焼葡萄文蓋付壺》（図版一一）に見られる葡萄文は、『白樺』を通して学んだ「後印象派」の影響のもとで作られた。こうした作品は三笠や田中屋といった、当時東京に現れたばかりの美術画廊で販売された。彼の作品は日本側に新鮮な印象を与え、濱田庄司（一八九四〜一九七八）や河井寛次郎（一八九〇〜一九六六）らを惹き付けた。

しかし、リーチはそのまま順調に陶芸の道を歩んだわけではなかった。一九一四年から彼は中国に関心を移し初め、一九一五年七月には日本と陶芸に見切りをつけ、北京へと移住する。そしてアルフレッド・ウェストハープという人物（日本の音楽史研究者の間では「ウェスタール」として知られる）を自らの指導者として選び、教育、出版、輸出などの事業を企てた。しかし、中国での事業が成功したという証拠はなく、むしろリーチは自伝において、北京で経験した精神的・経済的困難に言及している。

こうした苦境からリーチを引き上げたのが、柳宗悦であった。柳はリーチの北京移住には最初から疑念を抱いていた。一九一六年九月に柳は北京にリーチを訪ね、約半月の間行動を共にした。リーチの自伝によると、この時彼はウェストハープとの軋轢《あつれき》を柳に漏らした。すると柳は「日本へ戻って来給え。君は間違った指導者についたんだ。君は彼を必要とはしていない。君の描く物にはひらめきがあると僕は見ている。我孫子の僕の家族の土地に窯を建て、僕たちのグループにもう一度加わり給え」とリーチに言い、日本再渡航と陶芸への復帰を勧めた。この柳の言葉を承《う》け、リーチは陶芸に生涯携わる決心をした。

一九一六年末に北京から日本に戻ると、リーチは本格的に陶芸と取り組んだ。柳は原宿の借家をリーチ一家に紹介し、そして千葉県我孫子の自邸内に窯を築かせた。この窯は浦野繁吉の窯を譲り受け、移築したものだった。こうしてリーチは週末を原宿の家族のもとで、平日を柳邸内のアトリエで過ごすようになった。当時我孫子の手賀沼の畔には志賀直哉（一八八三〜一九七一）と武者小路実篤（一八八五〜一九七六）も住んでおり、リーチは充実した制作活動と交友を楽しんだ。《書斎の柳宗悦（我孫子）》（図版三二）は我孫子での日常を記録した貴重なペン画である。この書斎は柳が自分で設計したものであり、窓辺の本棚にはロダンのブロンズ像《或る小さき影》、唐の博山炉、磁州窯系と見られる壺などが飾られている。ここに、物のもつ美しさを最大限に引き出そうとする、日本民藝館独特の展示方法の始まりを見ることが出来る。また、机と柳の間に照明が強引に描き加えられているが、これは柳がウェストハープに代わる導きの光であることを示唆しているのかもしれない（余談であるが、河井寛次郎が『火の誓ひ』の中で柳を評し、「人に灯ともす人／人の燈明に灯をともす人」と書いていることがここで思い出される）。後年リーチはイギリスで困難に直面すると、何の心配や雑事に煩わされることなく制作だけに没頭できた我孫子での「天国のような生活」を、「人生で最も幸せで充実していた」時期としてたびたび振り返っている（リーチ、柳宛書簡、一九二九年二月十日、同年十一月十七日）。

しかし、我孫子での生活は長くは続かなかった。一九一九年五月二十六日、仕事場が火災により焼失し、研究ノートや資料などがすべて失われたのである。これによりリーチは精神的打撃を受けたが、しかし最後の窯出しの結果は良かった。《楽焼駆兎文皿》（図版一〇）はその一つであり、リーチの我孫子における制作活動の集大成となった。

アトリエを失ったリーチには意外なところから救いの手が差し伸べられた。彼が当時個展を毎年開いていた画廊流逸荘の主人仲省吾（一八七八〜一九六九）の仲介により、画家の黒田清輝（一八六六〜一九二四）が援助を申し出たのである。一九一九年十月から翌年六月の帰国まで、リーチは東京・麻布の黒田邸内で作陶を行った。窯は我孫子から麻布に移築された。新たに東門窯と名付けられたこの窯の様子は、《白掛彫絵窯図湯呑》（図版二一）に描かれている。また、この窯には手伝いの職人も用意され、この時期のリーチの作品は質が高い。《染付彫絵樹下婦人図皿》（図版二〇）、《染付彫絵軽井沢図皿》（図版二三）、《染付彫絵北斗七星図皿》（図版二五）の三点は初期の到達点である。リーチは画家として単に絵を描けるだけではなく、器物に適した図や模様を描く才能をもっていたことをこれらの作品は示している。

Ⅲ　イギリス帰国後の活動（一）　一九二〇〜一九四五年

一九二〇（大正九）年六月、リーチは家族と濱田庄司を伴って横浜を発ち、九月に母国のコーンウォール州セント・アイヴスに到着する。紆余曲折を経ながら、リーチはこの地で生涯活動することになる。

リーチの活動の要点は、「東と西の結婚」と「対抗《カウンター》産業革命」という、二つの言葉でまとめることができる。これまで見てきたように、絵画、版画、陶芸という芸術は彼にとって、世界の多様な文化への理解を深める手段であると同時に、そうして見出された世界の中で自分の人生を営む方法であった。一九一〇年代後半、リーチはさまざまな文化の長所を折衷することにより、新時代にふさわしい表現を追求した。こうしたリーチの希求は、「東と西の結婚」という彼独特の言葉に表れている。

また、リーチは社会における芸術の意義について考えるようになった。彼は様々な場所で異文化を発見し、それを契機に生活の質を問い直して行ったが、その結果産業革命以前の世界に現代よりも豊かな文化があったことを見出した。そして、自身は芸術家として陶芸制作に携わりつつ「手」に象徴される価値を擁護し、工場の「機械」に象徴される非人間性を批判した。こうした取り組みは十九世紀のアーツ・アンド・クラフツ運動を引き継ぐ性質をもっており、リーチはこれを「対抗《カウンター》産業革命」と呼んだ。

こうした大望のもとイギリスで活動を開始したリーチであったが、その行く手には様々な障害があった。セント・アイヴスでの築窯と生産は、設備にしても、材料や燃料の入手にしても、試行錯誤の連続であった。さらにそこに、①イギリス在来の陶芸を学び、それを生かした陶器を作ることと、②イングランドという環境において、東アジア（特に中国）の陶磁器を手本とする炻器《ストーンウエア》を作るという方針が加わることにより、技術的にも美術的にも困難が増した。《ガレナ釉ミルク注》と《ガレナ釉蓋付壺》（図版三六）、《ガレナ釉彫絵水注》（図版四〇）、《鉄絵花文壺》（図版四一）はこうした初期の取り組みの例である。

イギリスで困難に直面するリーチに対し、柳宗悦は支援を惜しまなかった。彼は率先して展覧会を組織し、一九二三年四月には神田・流逸荘で、一九二五年六月と一九三三年十二月には銀座・鳩居堂でリーチの個展を開催した。また、一九三〇年代前半、国画会でリーチの作品がたびたび展示されたが、これにも柳は関わっていたであろう。残された書簡によると、柳が友人たちと共に画廊と手数料引き下げの交渉をしたり、残品処理の手立てを講じたりと、リーチの利益ができるだけ大きくなるように奔走していた様子がうかがえる。柳は日本での売れ筋情報をリーチに報告し、ガレナ釉を用いた作品を日本にもっと送るよう、たびたび促している。

しかし、イギリスでのリーチの立場は柳の想像以上に複雑だった。芸術家として陶芸に携わるというリーチの主張は必ずしも理解されず、製陶所はたびたび破産の危機に見舞われ、活動方針は反省を迫られた。前述のようにリーチの作品はイギリス在来のガレナ釉を用いた陶器と、中国を手本とする炻器とに大別された。しかし、前者は軟陶であり、硬質で薄手の器が求められる都会生

1954年4月　絵付けをするリーチ　大分県小鹿田にて

活にはなじまず、これを購入する者は、リーチ曰く、工場製品がもたらす非人間性に反発して田舎屋暮らしを志向する「復古主義者《リヴァイヴァリスト》」だった。一方、後者を求める者は、中国文化に憧れ、珍しい物を入手したがる「蒐集家《コレクター》」であった。リーチはこうした人々にしか自分の作品が受け入れられない状況を苦々しく感じており、「復古主義者や愚かな虚飾品の蒐集家のために働いてはいられないし、限られた教養のある人々のためにさえ四六時中働くことはできない。私はその他に、自分や友人、そしてそのまた友人たちが日々使えるような、必要とされる焼物も作らなければならない。なぜならばこうした焼物は使い勝手がよくて美しく、また彼らの収入に見合ったものだからだ」と述べている（リーチ、日本への回覧書簡、一九二八年一月。傍線は原文による）。こうした問題意識は、彼の長男デイヴィッドが一九三七年にリーチ製陶所の支配人に就任した後、「スタンダード・ウェア」の生産へと繋がる。これはリーチの個人作品とは別に、安価で実用性の高い定番の製品群を生産・販売する試みであった。

　製陶所の経営が不安定だったことに加え、セント・アイヴスという僻地には理解者もいなかったため、リーチは一九三一年頃からデヴォン州ダーティントンで活動するようになる。この地ではリーチの支援者だったレナード・エルムハースト（一八九三〜一九七四）と妻のドロシー（一八八七〜一九六八）が、ダーティントン・ホール・トラストという、一種の理想郷を建設する事業を営んでいた。柳宗悦と濱田庄司は一九二九年と一九五二年の二回ここに滞在している。その時柳はエルムハースト夫妻の事業を「一種の「新しい村」」と評し、武者小路実篤の「新しき村」と似たものとして捉えている。一九三〇年代後半になると、リーチはセント・アイヴスの製陶所を引き払い、ダーティントンに移転することを真剣に検討するようになった。

　リーチがイギリスで初めて自分の活動に自信を覚えたのは、タイル作品であった。一九二九年十二月に柳に宛てた手紙の中で、彼は自分が絵付けしたタイルを用いた暖炉を建築業界に販売する計画を立てていることを述べ、「イギリスに戻って初めて、人々が本当に必要としており、かつ自分が望む仕事をしていると感じている」と柳に手応えを書いている（リーチ、柳宛書簡、一九二九年十二月二十一日）。

　リーチのタイルは事実、この書簡が書かれた頃にロンドンのニュー・ボンド・ストリートのコルナギ画廊で行われた、「現代陶芸家作品展」において成功を収めていた。その知らせをリーチの教え子ノーラ・ブラデン（一九〇一〜二〇〇一）からの手紙で知ったとき柳は、「涙なしには彼女の手紙を読めなかった。親愛なるリーチよ、ついに来るべき時が来たのだと考えずにはいられない。セント・アイヴスのベル夫人の家の暖炉でタイルを見た日以来、君はタイルでイギリスの人々を納得させることができるだろうと、ずっと確信していた」と滞在中のアメリカからリーチに書き送っている（柳、リーチ宛書簡、一九三〇年四月十二日）。

　柳によるリーチへの支援は一九三〇年代も続いたが、そのうち最大のものは一九三四年から翌年にかけてリーチを日本に迎えたことである。この渡航はエルムハースト夫妻の援助により実現した。十四年ぶりに来日したリーチは関東大震災から復興した「帝都」東京を見出す一方、日本の地方窯を初めて訪れる。日本民藝協会が一九三四年六月に設立され、柳が会長に就任すると、リーチは民藝運動の担い手たちと行動を共にした。そして、こうした人々の協力を得て、栃木県益子、京都府五条坂、島根県布志名《ふじな》、岡山県酒津《さかづ》、福岡県二川《ふたがわ》で作品を制作した（例として図版四五、四六、五一、五九など）。

日本滞在によってリーチは自分の役割を再確認し、活動に自信を取り戻した。特に画幅が日本で熱心に求められたことはリーチを喜ばせた。「自分の描いた絵が愛でられたことは、自分に大きな喜びと励ましになったことを認めなければならない。これは十四年間満たされずにいたものだ」と柳に告白している（リーチ、柳宛書簡、一九三五年二月二十六日）。一方日本ではリーチの帰英後、一九三六年に大原孫三郎（一八八〇～一九四三）の篤志によって日本民藝館が設立されたが、大原が柳らへの資金援助を決意した契機の一つは、一九三五年二月二十四日にリーチが大原の前で行った演説だったと言われている。

一九三五年初夏にイギリスに帰国すると再び困難がリーチを待っていた。帰国後間もなくして愛人の存在が妻の知るところとなり、彼の家庭は危機を迎える。こうしたごく私的な問題と苦悩についても、リーチは柳への書簡の中で触れている。これは単に男女間の問題ではなく、彼にとっては人生と芸術に直結した問題だった（リーチ、柳宛書簡、一九三六年三月一日など）。さらに、第二次世界大戦が始まるとイギリスと日本は敵対関係になり、リーチも柳もそれぞれ困難な時期を迎えた。二人の戦時下での思いを直接知ることは出来ないが、世界情勢に暗雲が垂れ込めていく一九三九年、リーチがダーティントンで柳に宛てて書いた次の手紙は、彼の戦争中の様子を偲《しの》ばせる。「この小さな木造家屋の中で私たちは、焼物たちが毎日静かに話す声に囲まれている。日本、朝鮮、中国について、そして富本、濱田、河井、舩木、その他新旧の友人たちについて話す声に。テーブルの上には『工藝』のバックナンバーがいつも六冊ぐらい積んであり、友人たちはみなこれを熱心に見ている」と（リーチ、柳宛書簡、一九三九年一月六日）。

Ⅳ　イギリス帰国後の活動（二）　一九四六～一九七九年

第二次世界大戦が終わり、一九四六年に長男デイヴィッドが復員すると、バーナードは彼を共同経営者としてセント・アイヴスのリーチ製陶所の復興に取り組む。一九五〇年には次男マイケルも製陶所に加わった。戦後の物資不足という時代背景の下、製品の売り上げは順調であった。そうした中で、製陶所をセント・アイヴスからダーティントンへ移転するという計画は忘れられていった。

戦後のリーチの活動再開を記念すべき作品として、《鉄砂抜絵組合陶板衝立　虎》（図版六四）がある。この作品は九インチ角のタイル四枚から構成され、鉄の枠はリーチのデザインに従って、トゥルーロの金工師が作った。ここに描かれた絵はもともと木版画作品であり、雑誌『白樺』の一九一三年の表紙に用いられたが、リーチは一九四六年にこれを鉄釉の抜絵によってタイルに再び描いた。作品の上部にはウィリアム・ブレークの「虎」という詩からの引用があり、下部には虎と木と少女が描かれている。この作品が『白樺』同人で、日本にブレークを紹介した柳宗悦によって日本民藝館にもたらされたことは、当事者のみならず、日英の文化交流史上意義深い。

リーチの個人作品を時系列で見ていくと、一九二〇年までに一度ピークを迎え、一九二〇年代から三〇年代にかけて作品の形と装飾に関し積極的な実験が重ねられた後、第二次世界大戦後に戦前までの成果が成熟を見る。晩年のリーチは釉薬の数を抑え、一見単色に見える作品を多く制作するようになる。その一方で、戦後の新しい活動として、磁器の制作がある。一九五〇年頃にリーチ製陶所の近郊で轆轤《ろくろ》に耐えうる可塑《かそ》性をもつ磁土がみつかると、リーチは磁器における表現を追求した（例として、《白磁盒子》《色絵鳥文盒子》、図版一一五）。戦前に比して戦後の作品（特に一九五〇年代から六〇年代のもの）は質が安定しているが、これはそれまでの経験の蓄積と、製陶所の熟練したスタッフによるところが大きい。戦後もスタンダード・ウェアは生産され、その販売は製陶所の経営を支えた。

このように制作活動が充実していく中、リーチと日本との繋がりも回復していった。その出発点となるのは、一九五二年七月に彼がダーティントン・ホールで主催した、ダーティントン国際工芸家会議である。ここに柳宗悦と濱田庄司が日本から参加した。この会議の参加者たちは、二十世紀における工芸（特に陶芸と染色）のあり方に関し、議論を行った。この機会にリーチ、柳、濱田はそれまでの活動を見直し、さらにその後の方向性について確認した筈である。

会議終了後、リーチ、柳、濱田の三人は共にアメリカを東海岸から西海岸へと横断し、日本へ向かった（図版七〇、七二、七三、七九）。一行が飛行機で日本に到着したのは一九五三年二月十六日であり、リーチが初めて日本民藝館を訪れたのはその翌日である。一九五四年十一月まで続くこの滞在中もリーチは日本各地で制作を行っている（例として図版八九、一〇六、一一九）。また、訪れた窯場にウェットハンドルと呼ばれる取っ手の付け方や、リーチ製陶所のスタンダード・ウェアのデザインを伝えた。

柳宗悦は死去するまで健康の許す限りリーチを支援し続けたが、ただし常にリーチの希望に応じていたわけではない。一九五二年の訪米時にリーチはジャネット・ダーネル（一九一八〜一九九七）と知り合い、その後の日本滞在中に二人は接近していった。リーチは工芸をとりまく環境がますます悪化していくイギリスに見切りをつけ、ジャネットと結婚し京都近郊で静かに晩年を送ることを望んだ。しかし、これは日本の友人たちの間で理解を得られなかった。リーチが柳に宛てた書簡の中には、自分の計画やジャネットを認めようとしない友人たちに対する苛立ちが時折綴られている（リーチ、柳宛書簡、一九五五年三月二十六日など）。これに対し柳は、「僕たちの想いは、君の来日目的は芸術家としての活動が第一義になるべきだということだ。〔中略〕君の日本訪問が〔イギリスという現実からの〕逃避のようなものになっては絶対にいけない」とリーチに書き送り、諫めている（柳、リーチ宛書簡、一九五五年六月二十三日）。柳の態度は、リーチの芸術を支援するという点で大正時代以来一貫している。柳の諫言をリーチがどのように受け止めたかは分からないが、彼は一九五六年にジャネットをセント・アイヴスに迎えて結婚し、死去するまでここで活動した。

一九五四年の後、次にリーチが訪日したのは一九六一年八月であるが、その時柳宗悦は死去していた。柳がこの年五月三日に世を去ったとき、リーチはイギリスから「五十年の涙」とのみ書いた弔電を送っている。リーチは濱田篤哉《あつや》、水尾比呂志、浅川園繪、別宮《べつく》（岡村）美穂子らの助けを得て、既に開始していた柳の著作の英訳を続け、一九七二年に *The Unknown Craftsman* として刊行した。翌年リーチは視力の低下により作陶活動から引退したが、四月に来日を果たし、五月三日に日本民藝館で営まれた柳の十三回忌法要に出席してこの本を祭壇に供えた。リーチが死去したのは一九七九年五月六日である。九十二歳だった。

以上、バーナード・リーチの人生と作品を、柳宗悦との関わりに触れながら紹介した。リーチという作家の特徴は、画家として出発しながら途中で陶芸という立体造形に転じたことにある。彼はイギリスのみならず日本やアメリカなど、世界各地で作品を残している点で希有な作家であるが、素材や制作環境が一定ではないにもかかわらず、その作品には一見して彼の個人様式が明瞭に認められる。これは素描に基礎を置く造形能力の賜物だろう。これまで見てきたように、リーチはその生涯、絵を描きながら「東洋と西洋」「日本とイギリス」「近・現代と前近代」「都市と田舎」「自然と文化」といったものを、繰り返し発見していった。こうした、古今東西の文化にわたる洞察をもとに彼は、普遍的な「美」の表現を追い求めた。

晩年におけるそうした表現として、巡礼者がある。《鉄砂抜絵巡礼者文皿》（図版一二二）や画幅《山と人（巡礼者）》（図版一二三）において、リーチは巡礼者という、世界各地で見られる求道者の姿を抽象的に描いた。辿る道がそれぞれ違っても、「東洋」の巡礼者が追い求めているものと、「西洋」の巡礼者が追い求めているものは、究極において一致する筈だというリーチの信念をここに見ることができる。そしてこの姿はまた、リーチの自画像なのかもしれない。「東と西の結婚」を希求し、世界各地の陶芸を学んだリーチは、自らに文化の橋渡しをするという役割が与えられていると感じていた。

近代化を経た世界の中で、手工芸という前近代的な生産形態に文明史的な意義を見出せるとリーチと柳は主張し、それぞれイギリスと日本で活動した。リーチは日本と接触を保ちながら制作活動を行い、柳はその意義を理解し支援を続けた。こうした二人の巡礼者による実り多い創作活動の軌跡が、日本民藝館のリーチ・コレクションなのである。

（お茶の水女子大学大学院准教授）

The Unknown Craftsman のこと

水尾　比呂志

前言

バーナード・リーチ（一八八七〈明治二十〉〜一九七九〈昭和五十四〉年）は、一八八七（明治二十）年の幼児期の最初の来日から、一九七四（昭和四十九）年の最後のそれまで、十五回に及ぶ長短の滞在を行った。その度毎《たびごと》の事蹟は、年譜（鈴木禎宏作成、三〇頁参照）に記された通り多岐に及んでいるが、なかでも柳宗悦師の美思想の英語による紹介と重要論文の翻訳である *The Unknown Craftsman*（Kodansha International, 1972）の刊行は、氏の重要な業績として注目されなければならない。この書物は、柳宗悦師の美論を、リーチが英訳し、初めて欧米の知見に提示した、記念碑的著作であった。

　私は、リーチさん（日本の氏の知人たちは親しみをこめてこう呼んでいた）の助手として学生時代から種々のお手伝いができたことを想い起し、改めて感謝の念に満たされる。柳宗悦師をはじめ多くの先達の方々に接し、わけても民藝の世界に縁を結ばせて頂いたのもリーチさんのおかげにほかならなかった。そのリーチさんの重要な仕事のひとつである前記の柳論文英訳書に、微力を捧げることができたのは、望外の幸運であった。それはリーチさんへの恩返しでもあり得た、と思う。

　以下の拙文は、リーチさんの八回目の来日（一九六四〈昭和三十九〉年四月〜十二月）のときのこと。五十年ほど前になるが、リーチさんとの私の想い出のなかで最も印象深い部分である（『ちくま』連載文「リーチさんのこと」六・七回より。明らかな誤記・誤字を正し、適宜水尾による註を付した。また、表記・用字などは現行のものに改めてある。二〇一二年五月）。

※

　昭和三十九年の滞日は、四月から十二月まで八ヶ月に及んだ。その間、乾山《けんざん》研究のほかに、北海道・中国・九州地方への旅、京都や益子での滞在と制作、七月の東京での陶器と素描の展覧会など、相変らず多忙な日々の連続で、僅《わず》かに余暇を見出されたのは、七月初めから八月中旬までの一ヶ月余、信州に暑を避けられた間だけではなかったろうか。否、それもただの避暑ではなく、次の大きな仕事の準備のためだったのである。

　柳先生を失ったリーチさんの悲しみが言葉に尽せるものではなかったことは、言うまでもない。そのときの電報「Gojūnen no namida」（水尾註、柳兼子夫人宛か）がそれを雄弁に物語っている。折に触れて発せられる「柳がもっと生きたらなア」の嘆声に私はリーチさんの心中を推し量った。そういう痛惜の念と、柳先生の美思想に対する深い敬念とに基いて、リーチさんは柳宗悦論文の英訳を発心されたのである。「今迄、柳の考えは話だけで聞いた。読むことはできなかった。私も、西洋人は誰でも。だから、私は詳しく読みたいンだ。英語に訳せば、世界の人みな読めるだろう。世界中の人に、柳さんの考え、知って貰いたいンだ（水尾註、「――ンだ」はリーチさん独特の話法）」。

その仕事を手伝ってくれないか、とおっしゃる。琳派研究に遥かにまさるそれは重要な仕事だ、と私は思い、私の方からお願いして是非手伝わせて頂きます、とお答えした。「All right! また勉強だ」。そこで、七月初めから、リーチさんと私は、柳先生も好んで夏を過された美ヶ原《うつくしがはら》高原の麓の入山辺《いりやまべ》霞山荘《かざんそう》に籠ったのだった（水尾註、霞山荘は柳・濱田・河井氏の松本における定宿だったが、現在は廃業）。

美ヶ原の山頂を遥かに望む松本入山辺の霞山荘は、いいお湯の出る静かな宿で、宿の人達の世話も心が行届いていた。十二畳の座敷にリーチさん、次の間の六畳に私。蟬しぐれのなかで柳論文の英訳が続けられた。朝八時から十二時まで、十時のお茶で三十分ほど休むだけ。昼食後リーチさんは一時間ほど午睡をとられ、夕方五時頃まで仕事が続く。それから庭や近辺を少し散歩して、入浴。夕食後さらに一、二時間、昼間の翻訳の手直しをする。リーチさんが十時頃就床されたあと、私は自分の原稿書き、というような日課だった。

礼儀正しいリーチさんも、ここではすっかりくつろいだ浴衣姿で過されたが、一番大きな浴衣でも長身のリーチさんには丈が短く靴下で隠しておられた。布団も長さが足りないので、女中さんが二つ折にした敷布団を継ぎ足した。散歩には浴衣に靴という恰好で、必ずスケッチブックを持って出られる。路傍の可憐な野花、石仏、農家や遠近の山々、木立などが、鉛筆の速い動きで写しとられる。そのなかの気に入ったものを、あとで何度も描き、単純化し煮つめてひとつの模様に完成されるのである。完成された模様は、ペンや毛筆で和紙に描かれる。リーチさんの素描《そびょう》のひとつの見所は、ダミの入れ方の巧みさにあり、時には琳派風なたらし込みも試みられたが、それによって線描に一気に生命が吹込まれる。傍らで拝見しながら私は感嘆した。

翻訳する柳先生の論文は、最初に『工藝の道』を選んだ。民藝美論の体系的な叙述である。全文の翻訳は到底不可能なので、柳先生が巻末に付された「概要」を訳すことにした。問答形式で簡潔にまとめられていて、西洋の読者にも理解し易いと考えられたからだ。琳派資料の場合と同じように、私は原文のままを一節ずつ読み、次に平易な日本語に直して一行ずつ読む。それをリーチさんが英語で書いて行かれる。この文章にはほとんど難解な箇所はないので、訳はスムースに進捗した。リーチさんは私が読む文章にじっと耳を傾け、屢々《しばしば》、「そうだ、その通りだ」と強く肯定しながら、最も適した訳語を探すために、さらに語意を質《ただ》される。私は、国語辞典と英和・和英の辞典を繰るのに大童《おおわらわ》になる。熱中した時間の合間に、ふとリーチさんの眼が窓外へ向けられる。柳先生の想い出を甦らせておられるのであろう。「あのとき、柳はネ……」と、幾度か貴重な話を聞かせて頂いたものだった。

　しかし、次の『美の法門』の訳にかかると、仕事は難渋した。『美の法門』は柳先生の仏教美学の根本論文で、仏教独自の思惟と言葉が盛込まれている。日本人でさえ理解の容易でない箇所が次々に現れてくる。それを正しくリーチさんに伝えることの難しさに、私は四苦八苦であった。リーチさんも、内容は判っても英語で言いあらわす適切な表現を探すのに苦しまれた。一日かかってやっと数行を解決する、というようなこともあった。「無《む》」「空《くう》」「不生《ふしょう》」「自然法爾《じねんほうに》」「如《にょ》」「不二《ふに》」「即《そく》」などの仏語の翻訳はことに至難だった。ただ、柳先生が『美の浄土』や『法の美』その他の著作で、工藝品を例にして具体的にそれらの語義を説いておいて下さったことで救われたのである。観念の上で、あるいは言葉だけではとても了得できない内容も、具体物の性状を介して考えればおのずから明らかとなることが多い。私は、柳美論の素晴しさが改めて身に沁み、リーチさんも、柳の思想を初めて深いところまで理解できるようになった、と悦《よろこ》ばれた。「おお、柳。柳。そこまで考えておいてくれたのか！　有難いことだ」。あるとき深い深い嘆声とともにそうおっしゃったリーチさんの言葉は、いまだに耳の底に残っている。

　八月中旬、私は自身の仕事の都合で、役目を日本民藝館の浅川園繪さんに譲り、東京へ戻った。この仕事は、さらに鈴木大拙博士の秘書であった岡村（水尾註、現姓別宮《べっく》）美穂子さんに引継がれ、岡村さんは二度St. Ivesに滞在して、リーチさんを援《たす》けた。開始以来八年を要して、昭和四十七（一九七二）年、英訳柳論文集は完成し、*The Unknown Craftsman: A Japanese insight into Beauty*という題名でKodansha Internationalから刊行された。柳先生の美思想の初めての纏《まと》まった英訳として、今、大きな影響を欧米の美意識に与えつつある。一昨年（水尾註、昭和四十八年）の四月来日され十三回忌の柳先生の霊前にこの書を供えられたリーチさんの後姿には、大事な仕事を果した安らかな満足感がうかがわれた。

　昭和四十九（一九七四）年、国際交流基金（「THE JAPAN FOUNDATION」）はリーチさんに当年度の国際交流基金賞を贈呈した。国際交流に貢献した人びとの数多しといえども、その内容と実践の豊かさにおいて、リーチさんほどこの賞にふさわしい人物はない、とは多くの識者の認めるところである。明治四十二（一九〇九）年の来日から、昭和四十九年の授賞式出席までの往来（水尾註、なかには短時日の滞在もあったが）は、単に英国と日本、西と東の文化を互いに知らせ合う程度の交流をはかったものではない。日本と朝鮮と中国という東洋を知り、学んだリーチさんは、英国人である自身のすべてを言わば実験台として、東西の融合の可能性を試み続けて来られた、と言ってよい。生活の万端、藝術活動、著作や講演などは、つねにその志向によって支えられていた。いや、無意識のうちにも、リーチさんの歩みはこの道から足を外《そ》らすことができないものになり切っていたのである。

　もっとも、リーチさんの東西融合の理念には段階的な変遷があった。東洋ことに日本への憧れに発し、そこから貪欲に多くを知り学ぼうとされた初期には、東西の結婚は幻として前途に浮かび出てはいたが、まだみずからの理念とはなり得ていなかった。ひたすら自分を育てる滋養として東洋を摂取された時期である。一九二〇年、英国に帰って濱田庄司氏とともに窯《かま》を築き、製陶生活に入って初めて、英国の焼物の伝統と東洋の技をいかに結ぶかという現実の問題を通じてそれはリーチさんの課題になったのである。この課題を制作の現場でひとつひとつ解決しなければならなかった創造活動によって、リーチさんは次第に自己の役割を認識して行かれた。昭和九(一九三四)年の三度目の訪日までの十余年間に、この認識は大きく育った。そして、柳先生らの民藝運動と行をともにするその滞日中の体験と思索によって、それは確認の域にまで高まったのだ。その頃のリーチさんは「西洋と東洋の一種の通訳」と、みずからの役割を表現しておられる。

「通訳」からさらに進んで、やがて「東西の懸橋」という自覚が強まる。それを推進したのは、一九四〇年のバハーイー教入信と、前年から始った第二次世界大戦であった。バハーイー教は、一八一七年にペルシアで生れ一八九二年パレスチナで死んだバハーウッラーの説いた教で、終末の危機にある世界を人類の統一された全体平和へ生れ変らせる希望への信仰活動である。バハーウッラーの理念とは、世界の諸宗教の提携、東と西の結婚、真の藝術や工藝の宗教的意義、男女平等の実現、一つの共通語の使用、極端な貧富の排除などに基盤を持つものであり、これらの目的のために人類全体の議会をもつもの、とリーチさんは説明しておられる(*My Religious Faith*, 1953)。若き日に幻として描いた東西の結婚を目的のひとつに数えているバハーイー教に、リーチさんは強く共鳴して、自身の創造活動を手段となし得るこの宗教を信条とする決意を固められた。

第二次世界大戦が核の保有という恐るべき事態で終った世界状勢は、いっそうリーチさんにみずからの役割への献身を求めた。「東西の懸橋」たらんとする意識は、おのずから「東西の融合による世界合一」への悲願を燃え立たしめずにはおかなかった。「真実と美とのどんな分野で表現が求められるにせよ、究極において、それは人々と物の間隙に橋をかけ、国民と国民の間に愛を結び合せることであるように思われる。小我を包む全体の発見である」(『バーナード・リーチ詩画集』序、水尾註、原題 *Drawings, Verse, and Belief*, 1973)という確信の上に、大戦後のリーチさんの生は真摯に展開されて今日に至っているのである。

リーチさんにとって、藝術は完全となるとき宗教と合一する、という思想は動かし難いものである。その事実を東洋の藝術に見出して来られた体験が、柳先生の仏教美学に裏打され、バハーイー教による自己の信条にあますところなく相即せしめ得るものとなったからだ。このような明確な自覚によって自身の創造活動と精神を導き得た藝術家は、近代の西洋では極めて稀である。工藝の分野を低くしか評価しない近代美学の誤謬によって、陶藝家バーナード・リーチに対する認識もなお実質を遥かに下廻った不充分なものに過ぎないが、遠からずその存在の価値の大きさに人びとは注目し始めるに違いない。

さて、そのような理念や信条と、リーチさんの作品の具体相との関係はどのようであるか。真実な藝術家がすべてそうであるように、リーチさんも東西融合という理念や信条の具体化として作品を作って来られたわけではない。藝術家の理念や信条は、疑いもなく彼の創造活動を鼓舞し推進する内燃機関たり得るけれども、作品において、意識的な強調の結果としての理念や信条が露《あら》わに見えるときは、その内面の燃焼はまだ不完全だ。よく燃焼し過不足なくエネルギーを供給している内面の理念や信条は、作品に自然さと安定の美を与える。そして内部からその白熱による紛《まご》うかたなき光が射し出てくるのが感じとられるのだ。リーチさんの作品が示している東西融合の相も、まさにそういう姿として私には感じられる。

リーチさんの作品は、手法も表現も決して西洋と東洋のそれの折衷様式ではない。足して二で割ったものではない。リーチ様式は、形も線も色も独特のものである。リーチさんの形、リーチさんの線、リーチさんの色は、いかなる他の作家も模倣することのできない独自性を持っている。しかし、それはリーチさんの個性と言ってしまうにはそぐわない性質の独自性である。私はそのなかに、英国中世陶器やペルシア陶器、中国宋窯や朝鮮李朝の焼物、日本の唐津や伊万里、光悦や乾山などの面影が、あるときは重なり合い、あるときはひとつが際立った姿で、現れては消えしているのを見るのだ。子供が両親の容貌や性格を受継いでいることを明らかに示しながら、同時に一個の独自性であるように、リーチさんの作品は、東と西、いやリーチさんが触れて来られた世界の種々相の混血によって生み出された、類の少い卓越した藝術品、と言うほかはない。さながらそれは、バハーウッラーの理想が達成された暁に生み出される品はかくもあろうか、とさえ思われる姿のように私には見えるのである。

リーチさんの作品は、優しく温和である。柳先生が夙《つと》に指摘されたように、力んだもの、強さや荒さを露骨に出したものはなく、と言って弱く感傷に流れた風態のものもない。人間の心に共通する真実と美への憧憬によって歌われた詩《うた》、それを形にしたものだ。とくにその絵付《えつけ》は、これまでの個人陶藝家の作中、もっともすぐれた美しさと評して過言ではない。

現在（水尾註、昭和五十〈一九七五〉年）、リーチさんはすでに制作活動を終えられた。視力は四分の三以上減退し、光のない暗黒の世界へ進んでいるようだ、と日本の友人への声の便りにあったが、不思議なことに以前よりもよく見えるような気がする、と同時に語っておられる。より深い知覚、理解が、実際に疑いもなく得られるようになった、と言われるのだ。失明によって何をリーチさんはいっそうよく見ることができるようになられたのであろうか。私は、柳論文英訳以来、屢々口にされたひとつの言葉を思い出す。それは「如」（そのまま、あるがまま）という禅語である。

昭和五十（一九七五）年十月一日稿

一九一七年一月　柳宗悦と
奈良県安堵村・富本憲吉宅にて

一九三五年五月　前列右より柳兼子、リーチ
河井つね　後列右より河井寛次郎、富本憲吉
一人おいて柳宗悦　東京にて

一九五三年二月　前列右より水尾比呂志、二人
おいて柳兼子、柳宗悦、濱田庄司　後列中央バ
ーナード・リーチ、右ジャネット・ダーネル
後列右から二人目芹沢銈介　羽田空港にて

図版目録

（単位・ミリメートル）

前期　一九〇七ー一九二〇年

一　**ゴシックの精神（セント・ルーク教会）**　紙、エッチング　一九〇七年
版・二九一×二二三　紙・三七五×二七九　額・五二九×四五四×二四

二・上　**小さき樫**　紙、エッチング
一九〇八年　版・五〇×六六　紙・五七×七三

下　**車窓から**　紙、エッチング
一九一一年　版・七二×一〇〇　紙・一〇二×一三六

三・上　**アイスランドの角笛（アイスランド的デコレーションⅡ）**
紙、エッチング　一九一一年　版・八〇×一一〇　紙・一二五×一六七

下　**日没**　紙、エッチング　一九一七年
版・六八×九六　紙・一四五×二〇七

四　**自画像**　紙、エッチング
一九一四年　版・二〇一×一五〇　紙・二二〇×一七〇

五　**楽焼筒描ペリカン文皿**　東京・上野桜木町　一九一三年　三一×二二九

六　**六代尾形乾山像**　紙、鉛筆　一九一四年　一八三×一四三

七　**楽焼葡萄文火鉢**　東京・上野桜木町　一九一三年　三二六×二九〇

八・上、九　**箱根　湖畔**　紙、エッチング
一九一三年　版・二四九×二五四　紙・三一五×二九五

八・下　**棚**　木製　千葉・我孫子
一九一七ー一九年　一二八八×一四七〇×二六九
意匠・装飾／バーナード・リーチ　製作・佐藤鷹蔵

一〇　**楽焼駆兎文皿**　千葉・我孫子　一九一九年　六九×三三八

一一　**楽焼葡萄文蓋付壺**　東京・上野桜木町　一九一三年　二五六×二四三

一二　**色絵花文湯呑**　千葉・我孫子　一九一八年　六四×七二

一三　**柳宗悦像**　紙、インク　一九一八年　二五五×一七〇

一四　**色絵我孫子風景図鉢**　千葉・我孫子　一九一八年
九七×二三八　註・下左は見込文字

一五　**手賀沼**　紙、エッチング　一九一八年　本紙・二二四×一三〇
額・四四七×三六九×二〇　額装飾／バーナード・リーチ

一六　**楽焼緑釉筒描土瓶・湯呑**　東京・麻布　一九一九年
土瓶・一〇〇×一五六×一一六　湯呑・五〇×八三

一七　**染付皿下絵　小屋（軽井沢）**　紙、インク
一九一九年　本紙・四六五×三四五　外形・九五七×六九二
装案／柳宗悦、表具裂／丹波布

一八、一九　岩（軽井沢）　紙、墨　一九一八年　本紙・二六〇×二一四
外形・一二〇〇×三〇六　装案／柳宗悦、陶軸／濱田庄司

二〇　染付彫絵樹下婦人図皿　東京・麻布　一九二〇年　三一×二一三
註・この皿は一九一九年の「Praise」という絵画作品にもとづく

二一　白掛彫絵窯図湯呑　東京・麻布　一九一九年　八四×七八

二二　軽井沢　紙、インク　一九一九年　七六×九三

二三　染付彫絵軽井沢図皿　東京・麻布　一九二〇年　三一×二二一

二四　雑誌『地上』表紙下絵　紙、インク　一九一九年　九八×六六

二五　染付彫絵北斗七星図皿　東京・麻布　一九二〇年　三一×二一八
註・この作品と同じ絵付が用いられた香合が別にあり、そこには
"The Great Bear"（大熊座）という文字が書かれている

二六・右より　白掛彫絵湯呑　千葉・我孫子　一九一七年　五一×七五
白掛彫絵茶碗　千葉・我孫子　一九一八年　八九×一〇五

二七　月見草文角皿下絵　紙、インク　一九一七年　三八〇×二九七

二八　緑釉花文陶板　東京・麻布　一九二〇年　二六五×二八四×三四

二九　楽焼筒描椿文香合　東京・上野桜木町
一九一二－一三年　八六×一一〇

三〇・上　『一つの道』表紙下絵　紙、インク　一九一九年　六九×九〇
註・『一つの道』は武者小路実篤の著作
下　馬車　紙、インク　一九一七年　一五〇×二〇二

三一・上　染付緑差楊枝立　千葉・我孫子　一九一七－一九年　四三×四九
下　彫絵椿文硯蓋　木製　一九一八年　三三×一一二

三二　書斎の柳宗悦（我孫子）　紙、インク　一九一八年　二九五×三八〇

三三・上　鳥型香合下絵　紙、インク　一九一七年　二〇二×二七五
下　夏の終わり（軽井沢）　紙、インク　一九一七年　一九五×二九八

三四・上　筒描葡萄文組合陶板　一九一二－二〇年　一一二×二七〇×一六
下　筒描葡萄文組合陶板　一九一二－二〇年　二二五×一八一×一三

三五　緑釉駆兎文陶板　東京・麻布　一九二〇年　二八五×二六七×二七

中期　一九二〇－一九四五年

三六・右より　ガレナ釉ミルク注　セント・アイヴス　一九二二年　八八×八三
ガレナ釉蓋付壺　セント・アイヴス　一九二二年　一一八×一一〇

三七　蓋付壺　ミルク注　紙、インク　一九三四年　二五四×一八三

三八　鉄絵組合陶板　馬　セント・アイヴス　一九二八年
陶板・四五五×四六〇　木枠・六一七×六一六×三八

三九　白掛櫛描色差皿　福岡・二川　一九三五年　九〇×五〇五

四〇　ガレナ釉彫絵水注　セント・アイヴス
一九二二年　一六九×一六七×一四〇

四一　鉄絵花文壺　セント・アイヴス　一九二〇年代　一三七×一七五

四二　白掛彫絵色差兎文鉢　福岡・二川　一九三五年　八八×二九八

四三・上　鉛釉筒描文字入陶板　島根・布志名　一九三四年　二七三×二七五×一二
下　鉛釉筒描人物文陶板　島根・布志名　一九三四年　二九八×三三八×一二

四四　兎　紙、インク　一九三四年
本紙・三〇〇×四一六　外形・一三三〇×五八六　装案／柳宗悦

四五　白掛筒描色差塔文皿　福岡・二川　一九三五年　一一一×四五八
四六　染付彫絵家文香合　京都・五条坂　一九三五年　五三×六九×三八
四七・右より　染付彫絵赤差鳥文香合　京都・五条坂
一九三四年　五八×四九×四八
染付彫絵鉄差鳥文香合　京都・五条坂
一九三四年　五二×六六×三七
四八　白掛鉄絵色差蕨文鉢　福岡・二川　一九三五年　一一〇×二九〇
四九　ガレナ釉筒描塔文土瓶　セント・アイヴス
一九二八年頃　一二九×二〇七×一五三
五〇・上　地釉筒描湯呑　栃木・益子　七九×九〇
下　長屋門（益子）　紙、墨　一九三四年　四八×九七
五一　鉄絵草文皿　栃木・益子　一九三四年　三〇×二二八
五二・右より　白掛鉄絵色差松文甕　福岡・二川　一九三五年　一八七×一六八
飴釉鉄絵色差松文甕　福岡・二川　一九三五年　一六〇×一六六
飴釉鉄絵色差松文甕　福岡・二川　一九三五年　一六五×一八三
五三　白掛鉄絵色差草文鉢　福岡・二川　一九三五年　一七一×四五六
五四　鉛釉筒描絵替角皿　島根・布志名　一九三五年　二八×一一八×一一九
五五・右より　地釉筒描ミルク注　栃木・益子　一九三四年　七〇×九七×七四
鉛釉筒描葉文湯呑　島根・湯町　一九三四年　六三×八一
五六　白掛彫絵熊文皿　福岡・二川　一九三五年　一〇一×四九三
五七　鉛釉筒描井戸文陶板　島根・布志名　一九三四年　二八〇×三三七×一〇
五八　工藝　紙、インク　一九三五年
本紙・三〇五×一九一　外形・一一二五×三二五　装案／柳宗悦

五九　鉛釉人物文角鉢　島根・布志名　一九三四年　七四×二九八×二五五
六〇・右より　飴釉彫絵壺　福岡・二川　一九三五年　一九八×一四五
白掛彫絵湯呑　福岡・二川　一九三五年　七二×八一
飴釉櫛描鉢　福岡・二川　一九三五年　一二〇×二一九
六一・上　白掛鉄絵色差茶碗　福岡・二川　一九三五年　七四×一二七
下　飴釉色差茶碗　福岡・二川　一九三五年　八一×一二七
六二　鉛釉筒描塔文皿　島根・布志名　一九三四年　一一四×四四〇
六三・上　風景　紙、インク　一九三六年　一三八×一八三
下　風景　紙、インク　一九三六年　一三八×一六〇

後期　一九四六－一九七三年

六四　鉄砂抜絵組合陶板衝立　虎　セント・アイヴス
一九四六年　陶板・四六〇×四五五×一九
金具・六六三×六五五×二七〇　金具意匠／バーナード・リーチ
六五　白掛彫絵色差パン種容れ　大分・小鹿田　一九五四年　四〇八×三八三
六六　ガレナ釉櫛描柳文楕円皿　セント・アイヴス
一九五二年　五六×二五八×三三四
六七　風景　瀬戸内海　紙、墨　一九五〇年代　本紙・二七六×五六一
外形・九五〇×六二一　装案／柳宗悦、陶軸／河井武一
六八　風景　紙、墨　一九五〇年代　本紙・二七七×四七二
外形・九五〇×五三一　装案／柳宗悦、陶軸／河井武一

六九　緑釉飛鉋文字入水指　大分・小鹿田　一九五四年　一七二×二〇二
七〇　風景　コロラド　紙、墨　一九五〇年代　本紙・二七八×五二八
外形・九五三×五八八　装案／柳宗悦、陶軸／河井武一
七一　ガレナ釉筒描山羊文皿　セント・アイヴス　一九五二年　一一〇×四四〇
七二・上　風景　ニューメキシコ　紙、墨　一九五〇年代　本紙・二七七×五六一
中　風景　コロラド　紙、墨　一九五〇年代　本紙・二七七×五二七
下　風景　サンタフェー　紙、墨　一九五〇年代　本紙・二七七×五二八
七三・上　風景　ニューメキシコ　紙、墨　一九五〇年代　本紙・二七五×五六一
中　風景　ヨセミテ　紙、墨　一九五〇年代　本紙・二七七×四三六
下　風景　モンタナ　紙、墨　一九五二年　本紙・二七六×五五〇
七四　鉄絵鹿文陶板　セント・アイヴス　一九五二年　一〇一×一〇一×一二
七五　鉄絵色差日月山水文陶板　セント・アイヴス
一九五二年　九九×九九×一二
七六　鉄絵井戸文陶板　セント・アイヴス　一〇一×一〇一×一四
七七　ガレナ釉山水文皿　セント・アイヴス　一九五二年　九七×四五三
七八　鉄絵壺文陶板　セント・アイヴス　一九五二年　一〇〇×一〇一×一三
七九　鉄砂抜絵柳文壺　米国、ブラックマウンテン・カレッジ
一九五二年　一五六×一八二×一五七
八〇　鉄絵色差柳文陶板　セント・アイヴス
一九五二年頃　一〇〇×一〇〇×一三
八一・上　風景　紙、インク　一九五三年　一〇六×一三七
下　風景　紙、インク　一九五三年　一四七×一四三
八二　緑釉櫛描水注　大分・小鹿田　一九五四年　二九五×一七七×一五六

八三　水注　紙、インク　一九五三年
本紙・二一七×二〇九　外形・一一三三×四二七　装案／柳宗悦
八四・上より　黒釉　馬　セント・アイヴスか　一九五〇年　七〇×八〇×四三
彫絵草文スイッチカバー　千葉・我孫子
一九一七年　三二×八五　註・前期作品
染付草文スイッチカバー　千葉・我孫子
一九一七年　三二×八〇　註・前期作品
黒釉　鳥　セント・アイヴスか　三五×三三×三八
八五・右より　瑠璃釉花文匙　一九一一-二〇年
二九×一六九×四九　註・前期作品
染付兎文箸置　一八×四四×二二
八六　黒釉水注　栃木・益子　一九五三年　一六四×一三〇×一一〇
八七・上右　益子のお祭　紙、インク　一九五三年　七三×七二
上左　益子・祭り　紙、インク　一九五三年　一一〇×七五
下　濱田窯の窯詰め　紙、インク　一九五三年　一四一×二一四
八八・上　色絵山水文皿　石川・山代温泉　一九五四年　二三×一六二
下　色絵柳文角皿　石川・山代温泉　一九五四年　三二×一五七×一五八
八九　色絵山水文角皿　石川・山代温泉　一九五四年　二九×一五九×一五九
九〇　飴釉櫛描火鉢　栃木・益子　一九五四年　三〇五×四七五
九一　ラダーバックチェア　一九五三年　八二五×四三五×三九五
製作・松本民芸木工（バーナード・リーチ監製）
九二　刷毛目茶碗　島根・布志名　七一×一三〇
九三　風景　紙、インク　一九五四年

本紙・三五三×四六四　外形・一二五三×六〇八　装案／柳宗悦
九四・上　白掛彫絵色差梟文皿　大分・小鹿田　一九五四年　二八×一一八
下　白掛彫絵色差山と舟文皿　大分・小鹿田　一九五四年　三六×一二〇
九五　白掛彫絵色差蛙文皿　大分・小鹿田　一九五四年　三七×一一八
九六　飴釉彫絵葉文茶碗　栃木・益子　一九五四年　七三×一五七
九七　皆川マス女　紙、インク　一九五三年
本紙・二三七×二八三　外形・一〇〇三×五二三　装案／柳宗悦
九八　山崎庄助像　紙、インク　一九五三年　三〇三×二〇九
九九・右より　黒釉彫絵鳥文壺　大分・小鹿田　一九五四年　三一五×三四二
黒釉彫絵壺　大分・小鹿田　一九五四年　二〇二×三二七
黒釉彫絵樹木文瓶　セント・アイヴス
一九五〇年代－六〇年代　三七五×二九五
一〇〇・上より　宍道湖　紙、インク　一九五三年　本紙・二六七×四三五
外形・一一六五×五八八　装案／柳宗悦
鉛釉文字入皿　島根・湯町　一九五三年　三四×二七四
一〇一　鉛釉筒描山水文皿　島根・湯町　一九五三年　一〇二×四六三
一〇二・上　鉄絵ジャム壺　セント・アイヴス　一九五二年　一一二×一一四
下　鉄砂文字入ジョッキ　米国、ブラックマウンテン・カレッジ
一九五二年　九九×一二九×一〇〇
一〇三　鉄砂抜絵樹文壺　セント・アイヴス　一九五二年　二八〇×二五一
一〇四・上　霞山荘にて（濱田、河井、三代澤夫妻、柳）　紙、インク
一九五三年　一〇五×二二九
下右　散策する河井寛次郎（房州・北条）
紙、インク　一九五四年　一二八×六八
下左　散策する濱田庄司（房州・北条）
紙、インク　一九五四年　一三〇×七〇
一〇五　柳宗悦像　紙、インク　一九五三年　二〇二×一四九
一〇六　黒釉彫絵燕文壺　大分・小鹿田　一九五四年　二七三×三一五
一〇七　壺　紙、インク　一九五四年　本紙・一九二×二一二
外形・八六七×三七六　装案／柳宗悦、陶軸／バーナード・リーチ
一〇八・上　盒子下絵　紙、墨　一九〇×二七五
下　角瓶ノ図　紙、墨、淡彩　一九五七年　三六〇×三三五
一〇九・上右　水注下絵　紙、墨　一九六四年　二四七×一六五
上左　壺下絵　紙、油彩　一九〇×一五四
下右　瓶下絵　紙、墨　一九六四年　四九四×二八九
下左　水注下絵　紙、墨　三一〇×一六七
一一〇・右より　鉄釉藍差ミルク注　沖縄・壺屋
一九六〇年代　八〇×九五×七八
飴釉指描文水注　大分・小鹿田
一九五四年　二〇八×一七九×一六一
灰釉ミルク注　栃木・益子　一〇三×一一七×一〇三
一一一・上　飴釉櫛描茶碗　栃木・益子　一九五四年　八〇×一一五
下　刷毛目藍差茶碗　栃木・益子　七二×一五四
一一二・上　魚文皿下絵　紙、インク　一九五三年　二四六×二八八
下　夜の鹿　紙、インク、淡彩　一九七一年　一九六×二一三
一一三　山羊　紙、墨　一九五三年

本紙・四八四×五二四　外形・一三九〇×七二三　装案／柳宗悦

一一四・右より　**鉄絵花入**　栃木・益子　一九五三-五四年　一一二×一一四

白掛鉄絵花入　大分・小鹿田　一九五四年　二〇八×一三八

一一五・上　**五箇山**　紙、インク　一九五三年　一〇六×一七九

下　**信州戸隠**　紙、インク　一九五三年　一〇三×一七六

一一六・上右　**花**　紙、墨　一九六七年　二七七×一九一

上左　**花**　紙、インク　七一×九四

中　**鶏**　紙、インク　一二四×一九〇

下右　**夏みかん**　紙、インク　一九五三-五四年　九三×八二

下左　**鳥**　紙、インク　九〇×七二

一一七・右より　**蝶文手付碗**　栃木・益子　九三×一七七×一三二

染付彫絵蛙文湯呑　セント・アイヴス　六〇×一〇〇

一一八　**釣舟　宍道湖**　紙、インク　一九五三年

本紙・一一七×一五六　外形・八八七×二七五　装案／柳宗悦

一一九　**鉛釉筒描松江城図皿**　島根・湯町　一九五三年　九八×四七八

一二〇　**飴釉貼付文水注**　福岡・二川　一九三五年

一三五×一三七×一〇六　註・中期作品

一二一　**松本草（信州・入山辺）**　紙、インク　一九五三年　本紙・二五五×二一三

外形・九八八×三五五　装案／柳宗悦、陶軸／バーナード・リーチ

一二二　**鉄砂抜絵巡礼者文皿**　セント・アイヴス　一九六〇年　四〇×三一七

一二三　**巡礼者（山と人）**　紙、インク　一九五三年　本紙・二五四×二〇六

外形・九六七×三六九　装案／柳宗悦、陶軸／バーナード・リーチ

一二四・上　**彫絵魚文組合陶板**　セント・アイヴス　一五二×三〇五×一三

下　**鉄砂抜絵魚文皿**　セント・アイヴス　一九六〇年　四四×三〇七

一二五・上より　**緑釉蓋付方壺**　セント・アイヴス

一九六〇年代　一六七×一〇七×一〇六

白磁盒子　セント・アイヴス　一九六八年　八一×八七

色絵鳥文盒子　セント・アイヴス　一九六四年　四八×八六

一二六　**柳宗悦像**　紙、インク　一九五三年

絵・三〇四×二四七　額・四八〇×三八九×一八

中扉　**柳宗悦蔵書票**　紙、木版　一九一四年　八七×八四　註・前期作品

（日本民藝館学芸部）

1931（昭和6）年　44歳　レナード・エルムハースト夫妻の招きにより、デヴォン州のダーティントン・ホール・トラストで陶芸を教える。翌年には一年の半分をダーティントンで、残りをセント・アイヴスで活動するようになる。

1934（昭和9）年　47歳　4月　柳宗悦の招待とエルムハースト夫妻の支援を受け、再来日を果たす（四回目の来日）。翌年の帰国までの間に栃木県益子、京都府五条坂、島根県布志名、岡山県倉敷（酒津）、福岡県二川など日本各地で作陶。

1935（昭和10）年　48歳　5月　柳宗悦と共に朝鮮へ。シベリア鉄道でイギリスに帰国。

1936（昭和11）年　49歳　夏　キャンピング・カーでローリー・クックスと共にセント・アイヴスを離れ、ウィンチコム、ディッチリングに滞在。12月初旬　デヴォン州ダーティントンのシンナーズ・ブリッジ地区に定住。

1937（昭和12）年　50歳　ダーティントン・ホール・トラストの一部門として、ダーティントン製陶所を設立。定期的にセント・アイヴスを訪れ、タイルの絵付けなどを行う（長男のデイヴィッド・リーチがリーチ製陶所の支配人に就任）。

1940（昭和15）年　53歳　*A Potter's Book* 刊行。バハイ教に入信。デイヴィッドの兵役に伴い、ダーティントンからセント・アイヴスに戻る。

1941（昭和16）年　54歳　爆撃によりリーチ製陶所被災。長男デイヴィッド召集。

1944（昭和19）年　57歳　ミュリエルと離婚、ローリー・クックスと再婚。ローリーとの間にモーリスという男子を養子にとる。

1946（昭和21）年　59歳　長男デイヴィッド復員。親子で共同経営者となり、製陶所の復興に努める。

1950（昭和25）年　63歳　次男のマイケルがリーチ製陶所に加わる。

1951（昭和26）年　64歳　*A Potter's Portfolio* 刊行。

1952（昭和27）年　65歳　7月　ロンドンで濱田庄司、柳宗悦、志賀直哉を迎える。17～27日　ダーティントンにて「陶芸とテクスタイルにおける国際工芸家会議」を主催。10月　柳、濱田とともに渡米、各地で講演会と展覧会をしながら、東海岸から西海岸へと横断。その途上ジャネット・ダーネルを識る。

1953（昭和28）年　66歳　2月　柳、濱田とともに五回目の来日を果たす。初めて日本民藝館を訪れる。翌年の帰国までに、岡山県倉敷（羽島）、島根県布志名・湯町、大分県小鹿田、石川県山代温泉など、日本各地で作陶。

1954（昭和29）年　67歳　11月　離日。帰路ハイファのバハイ教総本山を訪れる。

1955（昭和30）年　68歳　次男マイケルと長男デイヴィッド、それぞれリーチ製陶所から独立。『日本絵日記』（柳宗悦訳）刊行。

1956（昭和31）年　69歳　ローリーと離婚、ジャネット・ダーネルと結婚。

1961（昭和36）年　74歳　1月　アーツ・カウンシル主催で回顧展が開催される。5月3日　柳宗悦死去に際し、「五十年の涙」と書いた弔電を送る。同月　エクセター大学より名誉文学博士号を授与される。8月　六回目の来日。11月　大原美術館陶器館（現・工芸館）開館式に出席。

1962（昭和37）年　75歳　1月　羽田空港からオーストラリア、ニュージーランドへ発つ。2月末～3月10日　七回目の来日。この年イギリス政府からC. B. E.の称号を授与される。

1964（昭和39）年　77歳　4月　八回目の来日。12月　帰国。

1966年（昭和41）79歳　5月　九回目の来日、二週間滞在。勲二等瑞宝章受章。10月　十回目の来日。*Kenzan and His Tradition* 刊行。

1967（昭和42）年　80歳　秋　十一回目の来日。*A Potter's Work* 刊行。

1968（昭和43）年　81歳　セント・アイヴス名誉市民に選ばれる。

1969（昭和44）年　82歳　3月　香港で濱田庄司と会い、共に沖縄へ（十二回目の来日）。

1971（昭和46）年　84歳　4月　十三回目の来日。

1973（昭和48）年　86歳　4月　十四回目の来日。5月　日本民藝館における柳宗悦の十三回忌法要に出席、前年に完成された柳の著作の翻訳、*The Unknown Craftsman* を祭壇に供える。この年イギリス政府から、C. H.の称号を授与される。詩画集 *Drawings, Verse, and Belief* 刊行。視力の低下に伴い、作陶活動から引退。

1974（昭和49）年　87歳　10月　生涯最後の訪日（十五回目）。国際交流基金賞受賞。

1975（昭和50）年　88歳　*Hamada, Potter* 刊行。

1977（昭和52）年　90歳　3月　ヴィクトリア・アンド・アルバート美術館で回顧展。

1978（昭和53）年　91歳　自伝 *Beyond East and West* 刊行。

1979（昭和54）年　92歳　5月6日　病院で死去。10日　ロングストーン墓地に葬られる。

（鈴木禎宏編）

バーナード・リーチ年譜

1887（明治20）年　0歳　1月5日　法律家アンドルー・リーチの長男として香港に生まれる。誕生と同時に母エリナー・シャープと死別。母方の祖父母に引き取られ、彦根・京都で育つ（一回目の来日）。

1891（明治24）年　4歳　父の再婚に伴い、香港へ戻る。

1895（明治28）年　8歳　父の判事就任に伴い、シンガポールへ。以後二年間、ペナンなどのマレー半島で過ごす。

1897（明治30）年　10歳　イギリス本国へ。ウィンザーにあったボーモント・カレッジに入学。六年間、キリスト教（カトリック）に基づく教育を受ける。

1903（明治36）年　16歳　秋　スレード美術学校入学。ヘンリー・トンクスに師事、絵画を学ぶ。

1904（明治37）年　17歳　父の健康問題のためスレード美術学校を退学。11月　父死去。ボーンマスの継母の元を離れ、マンチェスターの実母の妹の元に身を寄せる。

1906（明治39）年頃　19歳　香港上海銀行に採用され、ロンドンのシティで約一年間働く。ウィリアム・ブレーク、ラフカディオ・ハーンなどの著作に親しむ。

1907（明治40）年　20歳　秋　ロンドン美術学校に入学。この学校で高村光太郎を識る。フランク・ブラングィンからエッチングを学ぶ。

1908（明治41）年　21歳　従姉のミュリエル・ホイルと婚約。3～6月　フランスとイタリアを旅行。帰路、パリで高村光太郎に会い、日本渡航の意志を伝える。

1909（明治42）年　22歳　4月　横浜着（二回目の来日）。岩村透、森田亀之助の助力をうけ、日暮里で生活。9月　上野桜木町四十番地の借地に自宅を建て、エッチング教室を開く。生徒募集のために開いた制作実演の会に、柳宗悦、児島喜久雄、里見弴、武者小路実篤、志賀直哉が参加する。12月　ミュリエルと結婚。

1910（明治43）年　23歳　7月　富本憲吉を識る。

1911（明治44）年　24歳　2月18日　富本憲吉、森田亀之助とともに初めて楽焼を体験する。5月　長男デイヴィッド誕生。10月　淡島寒月、石井柏亭の紹介により、六代尾形乾山こと浦野繁吉に入門し陶芸を学ぶ。雑誌『白樺』に初めて寄稿、11月号に「蝕銅版について」が柳宗悦の翻訳で掲載される。

1912（明治45／大正元)年　25歳　2月　第四回白樺美術展に楽焼作品を出品、これが契機となり河井寛次郎を識る。秋　自宅に簡単な轆轤と窯を持つ。

1913（大正２）年　26歳　5月　次男マイケル誕生。11月　赤坂区福吉町一の六へ転居。この年、浦野より伝書を授けられる。

1914（大正３）年　27歳　横浜の宮川香山のもとに半年ほど通い、上絵付けを学ぶ。10月　最初の個展（田中屋および三笠で同時開催）。初の著作『回顧録』*A Review* 出版（柳宗悦が翻訳）。11～12月　中国旅行。

1915（大正４）年　28歳　1～5月　中国旅行。7月　家族と共に北京へ移住。アルフレッド・ウェストハープと共同で事業を興すため。長女イディス・エリナー誕生。

1916（大正５)年　29歳　9月　北京で柳宗悦と再会。柳から日本再渡航を勧められる。この勧めに従い陶芸に再び取り組む決意をする。12月　日本渡航（三回目の来日）。

1917（大正６）年　30歳　東京市外青山原宿二〇九肥田氏右隣に住む。3月　浦野繁吉の窯を譲り受け、我孫子の柳邸内に移築。平日は我孫子で制作にあたり、週末は原宿で家族と過ごすようになる。8月　初窯。

1919（大正８)年　32歳　5月　濱田庄司が我孫子にリーチと柳宗悦を訪ねる。その翌日仕事場が火災で焼失。流逸荘主人仲省吾の仲介により、東京の黒田清輝邸内（麻布区笄町一七七）に「東門窯」を築窯、また東京府下駒沢村字上馬九三六に転居。10月　窯開き。12月　最初の本焼。

1920（大正９)年　33歳　5月　柳宗悦夫妻と共に初めて朝鮮を旅行。6月　濱田庄司を伴い、家族とともに離日。8月　イギリス到着後、双子の娘ジェサミンとベティー誕生。9月　コーンウォール州セント・アイヴス着。ドライコット・テラスに住む。

1921（大正10）年　34歳　セント・アイヴス手工芸ギルド製陶所設立。ギルドの主催者フランシス・ホーン夫人と共同で経営にあたる。10月　初窯。

1923（大正12）年　36歳　セント・アイヴス手工芸ギルド製陶所の所有権を買い取り独立、以後リーチ製陶所として活動。自宅としてカービス・ベイのカウント・ハウスを購入。

1929（昭和４)年　42歳　6月　イギリスに柳宗悦と濱田庄司を迎える。

日《に》本《ほん》民《みん》藝《げい》館《かん》所《しょ》蔵《ぞう》　バーナード・リーチ作《さく》品《ひん》集《しゅう》

二〇一二年六月　十九日　初版第一刷発行
二〇二五年十月二十五日　初版第六刷発行

編集　日本民藝館学芸部　担当・月森俊文
東京都目黒区駒場四-三-三三　〒一五三-〇〇四一
電話　〇三-三四六七-四五二七

発行者　増田健史

発行所　株式会社　筑摩書房
東京都台東区蔵前二-五-三　〒一一一-八七五五
電話　〇三-五六八七-二六〇一（代表）

印刷　TOPPANクロレ　株式会社

製本　牧製本印刷　株式会社

ISBN978-4-480-87369-9　C0072